DIA A DIA COM DEUS

Inspirações para sua oração diária

Petrópolis

Rua Frei Luís, 100
25689-900 Petrópolis, RJ
www.vozes.com.br
Brasil

Diretor editorial
Frei Antônio Moser

Editores
Aline dos Santos Carneiro
José Maria da Silva
Lídio Peretti
Marilac Loraine Oleniki

Secretário executivo
João Batista Kreuch

Coordenação e organização: Frei Edrian Josué Pasini, OFM
Autoria das preces diárias: Elam de Almeida Pimentel e Maria Aparecida de Cicco
Diagramação: Sheilandre Desenv. Gráfico
Capa: Editora Vozes e Ygor Moretti
Ilustração de capa: Afresco de Jesus como bom pastor, da autoria de Josef Kastner, na igreja dos Carmelitas em Döbling, Viena.
© Jozef Sedmak | Dreamstime.com

ISBN 978-85-326-5199-0

Editado conforme o novo acordo ortográfico.

Este livro foi composto e impresso pela Editora Vozes Ltda.

Apresentação

Deus quer fazer-se presente na vida de seus filhos. Não quer ser um Deus distante. Quer ser próximo de cada um de nós. E, como um bom pai, não é alheio às nossas dificuldades e necessidades. Ele quer fazer parte da nossa caminhada, no dia a dia com tudo o que nos faz seres humanos. Ele é a grande força que está dentro de cada um, sendo um verdadeiro amigo de todas as horas.

Este livro foi pensado para Você que sente sede da presença de Deus, a fim de que possa obter a inspiração para viver com mais entusiasmo e alegria, com fé e esperança, tendo como base a prática do amor a Deus e ao próximo.

A partir da leitura, da meditação e da oração, poderemos entrar em nossa própria intimidade e experimentar a consoladora e afável presença divina.

Frei Edrian Josué Pasini, OFM

1 Janeiro

Hoje: *Santa Maria, Mãe de Deus. Dia Mundial da Paz, dia da Fraternidade Universal e dia do Município. Dia Santo de Guarda. Feriado nacional.*

Santos do dia: *Almáquio / Eufrosina.*

É Jesus que nos atrai e Ele, e somente Ele, que nos revela como chegar a Deus, porque Jesus é "caminho, verdade e vida". Há algo de fascinante e de provocante em tudo isso. Necessitamos todos nós de nos aproximarmos de Jesus e irmos, através dele, para o coração da Trindade Santa. É preciso fazer uma leitura contemplativa e mística da vida de Jesus. É por Ele, com Ele e nele que chegaremos a conhecer e contemplar o rosto do Pai. Conhecemos pouco Jesus, não caminhamos e não trilhamos a sua estrada e por isso nos distanciamos na busca de outros caminhos limitados, frágeis e inseguros.

Frei Patrício Sciadini, OCD

Senhor, consagramos nossa família a ti, suplicando-te a paz de espírito, a fé e a esperança para enfrentarmos os desafios diários. Amém.

2 Janeiro

Santos do dia: *Basílio Magno / Gregório Nazianzeno / Argeu.*

Nunca nos inquietemos por causa do futuro: em cada momento que vivemos façamos o que for mais perfeito, quer dizer, façamos o que a vontade de Deus nos impõe no momento que passa; e posto isso, não nos inquietemos, por causa do futuro, mais do que nos inquietaríamos se soubéssemos que estaríamos mortos dentro de uma hora... Não pensemos no futuro senão para pedir a Deus que nos ajude a cumprir a sua vontade em todos os instantes da nossa existência, pois que assim glorificá-lo-emos tanto quanto está ao nosso alcance...

Bv. Charles de Foucauld

Deus nosso Pai, somos imensamente gratos pelas inúmeras graças que derramas sobre nós a cada dia. Obrigado, Pai, por tua generosa compaixão. Amém.

3 Janeiro

Santos do dia: *Antero / Cirino / Florêncio.*

Deus não precisa atender a pedido algum; irá fazê-lo se quiser. Nós também não "temos" de rezar. Rezamos quando queremos ou sentimos necessidade. Deus não nos fulmina por isso, mas perdemos uma grande chance, quando ignoramos a importância de nos comunicarmos com Ele. Deus não precisa de nossas orações. Nós é que precisamos dessa comunicação com Ele. E aí está o "xis" da questão: começamos a orar de verdade quando entendemos que precisamos nos comunicar com Deus porque confiamos nele, porque o amamos e porque, longe dele, a saudade machuca.

Pe. Zezinho, SCJ

Senhor, a sabedoria é dom dos justos que buscam a paz e a justiça. Faze que nos deixemos guiar por teu Espírito para alcançar a tua sabedoria. Amém.

4 Janeiro

Hoje: *Dia Nacional da Abreugrafia e dia Nacional do Portador de Hemofilia.*

Santos do dia: *Ângela de Foligno / Caio / Hermes.*

O que estamos pedindo?

"Pai nosso, seja feita a tua vontade assim na terra como no céu." O que significa isto? O que estamos pedindo com estas palavras? Pedimos que se faça a vontade dele; não seria melhor que nos amássemos uns aos outros? E a quem cabe a realização desta vontade: a Ele ou a nós? "O pão nosso de cada dia nos dai hoje." O sol se ergue todas as manhãs e traz sua energia; há alimento em abundância para satisfazer a todas as pessoas do nosso planeta e não é culpa de Deus se este seja mal distribuído.

José Renato Sindorf

Pai Eterno, faz com que deixemos a cada dia Cristo se revelar em nós para assim podermos revelá-lo aos outros. Amém.

5 Janeiro

Santos do dia: *Emiliana / Eduardo / Simeão Estilita / João Nepomuceno Neumann.*

Se todos revidassem na mesma intensidade as ofensas recebidas, o mundo viveria em guerra. Uma ofensa só nos machuca quando nós permitimos, ou seja, só quando lhe damos importância e ficamos debaixo de "seus pés", mas se nos revestimos de paciência, relativizando sua intensidade, ela não nos atinge. Uma flecha lançada contra um pássaro só o fere quando o atinge, mas se ele estiver voando alto, como uma águia, longe de seu alcance, ela não o atinge e o lançamento da flecha será inútil. Assim, não deixe que ofensas tirem seu bom humor, seja mais forte, voe alto nas asas da paciência.

José Irineu Nenevê

Jesus, nosso consolador, perdoa as nossas falhas e fortalece-nos em teu amor. Que tua paz esteja sempre entre nós. Amém.

6 Janeiro

Hoje: *Dia dos Reis Magos.*
Santos do dia: *Reis Magos / André Corsino / Nilamão.*

O ato de viver não pode ser encarado com indiferença, leviandade ou mesmo apenas um passar de tempo. Temos que senti-lo todo, com consciência, porque, se assim não for, jamais saberemos se estamos vivendo. Estar vivendo é estar caminhando num caminho que nos apresenta uma estrada a descobrir. O caminho é uma estrada aberta a todos nós, onde teremos vários companheiros de caminhada. O caminhar é conquista nossa e depende somente de nós a realização de nossas obras que revelarão o que foi nossa vida.

Maria Augusta Christo de Gouvêa

Ó Deus, ajuda-nos a seguir o exemplo dos Reis Magos indo em busca do Messias, com sacrifício, coragem e alegria. Amém.

7 Janeiro

Hoje: *Dia do Leitor.*

Santos do dia: *Raimundo de Penyafort / Luciano / Teodoro / Bv. Lindalva Justo de Oliveira.*

Um mergulho em outros mundos

Quem lê muito torna-se lido. E conhece bem a vida. Ele é culto, pois se confrontou com outras experiências. A leitura é, em si mesma, um ato salutar. Nela mergulhamos em um outro mundo. E ela nos liberta do mundo que muitas vezes nos aflige e ameaça. Ela torna relativas a dureza, a estreiteza e a falta de compaixão que eventualmente nos cercam. Enquanto leio, entro em contato também comigo mesmo, e isso já é algo de muito valor, mesmo quando eu não retenho muito do que li. No momento da leitura, entretanto, eu sou outro. Aí eu estou mais próximo de mim mesmo do que em outras situações. E quanto mais eu me aproximo de mim mesmo, maior é o sucesso da minha vida.

Anselm Grün

Senhor, que a inteligência que me deste esteja sempre aberta para compreender os caminhos da ciência sem desprezar as verdades da fé. Amém.

8 Janeiro

Hoje: *Dia Nacional do Fotógrafo e da Fotografia.*

Santos do dia: *Antônio de Categeró / Severino / Teófilo / Apolinário de Hierápolis*

A verdadeira felicidade encontra-se no amor generoso, no amor que aumenta à medida que é repartido. Não há limite determinado na repartição do amor, e, por isso, a felicidade virtual desse amor é infinita. A lei da vida íntima de Deus é a infinita doação. Ele estabeleceu como lei do nosso ser a comunicação de nós mesmos, e assim é que o melhor modo de amar a si mesmo é amar os outros. É na atividade desinteressada que melhor realizamos as nossas capacidades de ser e de agir.

Thomas Merton

Senhor, que nosso coração esteja aberto a acolher os irmãos necessitados, vivendo com eles a partilha como gesto de solidariedade e amor. Amém.

9 Janeiro

Hoje: *Dia do Fico.*

Santos do dia: *Marciana / Félix / Vidal.*

O valor terapêutico da oração

Eu conheço o valor terapêutico da oração. Considero a oração como uma cura mental magistral e a experiência religiosa pessoal como a mais alta forma de psicoterapia verdadeira. Não cabe a menor dúvida de que a religião de Cristo, quando bem entendida e devidamente praticada, possui poder tanto para prevenir como para curar numerosas enfermidades mentais, dificuldades morais e desordens da personalidade. É evidente que o temor e a dúvida produzem enfermidades, enquanto a fé e a esperança conferem saúde.

Dr. Sadler

Ó Deus, creio em ti de todo o meu coração e confio no teu amor. Peço que fortaleças a minha fé e não me deixes desviar do teu caminho. Amém.

10 Janeiro

Santos do dia: *Nicanor / Guilherme / Gregório X.*

Peçamos ao Senhor o dom da oração num pedido concreto, instante, de todo nosso ser, com todos nossos recursos e prestígios, com tudo que estiver ao nosso alcance, ainda mesmo que seja muito pouco: nossa pouca força, nosso pouco desejo, nosso pouco tempo. Tudo que empregaríamos num pedido humano de muito empenho, ainda que o fizermos num dia em que nos arrastamos, embrutecidos pela enxaqueca, com o tempo contado. Fazemos tudo que depende de nós ao pedirmos algo que verdadeiramente queremos, e esse tudo é suficiente: peçamos a oração, mesmo se esse tudo é quase nada.

Madeleine Delbrêl

Deus Pai, Tu és a luz, a força e o poder. Dá-nos força para tudo vencer na vida. Com humildade, pedimos nesta nossa oração. Amém.

11 Janeiro

Santos do dia: *Sálvio / Teodósio / Honorata.*

O Espírito reza em nosso interior.

Suscita o gosto de comunicar-nos com o Pai, inspira o conteúdo de nossa oração, vence em nós a distância entre a criatura e Deus, na grande hora da comunicação.

Só podemos rezar porque o Espírito reza em nós.

Dom Paulo Evaristo Arns

Senhor Deus, faz com que possamos transmitir os ensinamentos de Jesus, em palavras e obras. Amém.

12 Janeiro

Santos do dia: *Modesto / Taciana / Bernardo de Corleone / Ernesto.*

Bem cedinho, na oração da manhã, ou durante a missa, procure afinar a sua alma pelo coração do Divino Mestre, modelo incomparável, para que não destoe no correr do dia. E se, devido a qualquer aborrecimento imprevisto, as cordas se afrouxarem, possam elas, por meio de uma atuação rápida e enérgica, recuperar a sua habitual tensão. É preciso aprender a aguentar uma humilhação, calar um ressentimento, encobrir a própria dor, não gemer sem necessidade, não jogar nas costas alheias fardos que podemos carregar sozinhos. Eis o segredo da felicidade pessoal, e o condão que a atrai e a espalha em torno de si.

Lucas

Graças a ti, Pai, pela tua bondade infinita. Peço que, com tua inspiração, eu viva a bondade no meu dia a dia, no trabalho e na família. Amém.

13 Janeiro

Santos do dia: *Hilário de Poitiers / Verônica / Leôncio.*

Os projetos são uma realidade universal e necessária. Hoje em dia muitas empresas e os mais variados grupos perseguem projetos de vida. Diversos grupos cristãos buscam planos apostólicos; as pastorais referenciam-se em projetos... Ter um projeto de vida é fundamental para os nossos dias. Sem ele, a pessoa e os grupos vivem expostos a tudo, vivem sem referências – um dos grandes problemas hoje –, vivem perdidos e, facilmente, tornam-se massa de manipulação dos meios de comunicação social e dos interesses dominantes.

Canísio Mayer

Nesse período de realização de planos, pedimos a ti, ó Deus, que renoves nosso interior, realçando o que há de melhor em nós. Amém.

Hoje: *Dia do Treinador de Futebol.*

Santos do dia: *Ida / Dácio / Odorico de Pordenone / Bv. Pedro Donders.*

14 Janeiro

Os olhos do coração

Ao ser humano de hoje eu diria que faça a experiência de entrar na própria intimidade para conhecer o rosto de Deus. Por isso gosto tanto do que diz João, depois de sua dura experiência e de diálogos que não lhe resolveram nada: “Conhecia-te só de ouvido, mas agora viram-te meus olhos” (Jo 42,5). Ao ser humano, digo que não conheça Deus de ouvido. O Deus vivo é o que ele vai ver com seus olhos, dentro de seu coração.

Papa Francisco

Pai, dá-me um coração puro e cheio de bondade para que eu espalhe luz por todos os lugares por onde passar e estenda a mão a quem precisar. Amém.

15 Janeiro

Hoje: *Dia Internacional do Compositor.*

Santos do dia: *Isidoro de Alexandria / Miqueias / João Calibita / Mauro (Amaro) de Gália.*

Verdade

Calar de si mesmo, é humildade;
Calar os defeitos alheios, é caridade;
Calar palavras inúteis, é penitência;
Calar nos momentos oportunos, é prudência;
Calar na dor, é heroísmo;
Calar a verdade, é omissão.

Sabedoria antiga

Meu Deus, ajuda-me a dizer sempre a verdade, a praticar a justiça e a não enganar o meu próximo. Amém.

Santos do dia: *Marcelo I / Priscila / Berardo.*

16 Janeiro

Comece a viver uma nova vida. Isso pode não ser fácil, de início. Hábitos de pensamentos negativos e tramas de pensamentos profundamente implantados ainda tentarão reassumir seu controle sobre você. Velhos erros de pensamento e ação tentarão instalar-se de novo, como uma agulha com defeito se apega ao mesmo velho sulco de um disco. Mas se você simplesmente começar a viver uma vida nova, na certeza de que terá sucesso, e continuar vivendo-a, terá sucesso. Velhas resistências, provenientes de hábitos antigos, recuarão diante dos novos hábitos, e isso acontecerá mais depressa do que imagina.

Norman Vincent Peale

Pai Eterno, ajuda-me a acreditar em mim, no teu poder e no teu amor. Ajuda-me a ter cada vez mais fé em ti. Amém.

17 Janeiro

Santos do dia: *Antão / Leonila / Mariano.*

A palavra mais bela

"Ajudar" é a palavra mais bonita do mundo; é uma palavra mais bonita até do que "amar". Eis o que disse a escritora austríaca e ganhadora do Prêmio Nobel da Paz Berta von Suttner. Ajudar o outro, apoiá-lo, ficar ao seu lado, eis o que revela uma genuína humanidade. Marion Wright Edelmann vai ainda mais longe: "O zelo é o aluguel que pagamos por nossa existência. Ele é o objetivo supremo da vida. Não devemos confundi-lo com um mero passatempo". Todos concordam que devemos amar uns aos outros. Mas o amor permanece muitas vezes na intenção, e não se exprime na convivência concreta. A ajuda é a concretização do amor. Muitas vezes ela não é espetacular e se exprime nas pequenas ações do cotidiano que parecem sem importância, mas podem ser uma importante ajuda para o outro.

Anselm Grün

Jesus, desperta em mim o amor solidário que me faça lutar pela justiça, pelo respeito mútuo e pela dignidade da pessoa, sem distinção. Amém.

18 Janeiro

Hoje: *Dia Internacional do Riso.*

Santos do dia: *Prisca / Liberato / Amâncio / Bv. Regina Prottmann.*

Alegria é vida

Não se deixe dominar pela tristeza, nem se aflija com preocupações. Alegria do coração é vida para o homem, e a satisfação lhe prolonga a vida. Anime-se, console o coração e afaste a melancolia para longe. Pois a melancolia já arruinou muita gente, e não serve para nada. Inveja e ira encurtam os anos, e a preocupação faz envelhecer antes do tempo. Coração alegre favorece o bom apetite e faz sentir o sabor da comida (Eclo 30,21-25).

Pe. Luiz Carlos do Nascimento

Senhor, entra em minha vida e deixa que nela habite a tua bondade, espantando dela toda mesquinhez e todo sentimento ruim. Amém.

19 Janeiro

Hoje: *Dia Nacional do Barbeiro, dia do Cabeleireiro, dia do Depilador, dia do Esteticista, dia do Manicure, dia do Maquiador e dia do Pedicure.*

Santos do dia: *Mário / Canuto / Júlio.*

Ter fé é acreditar com convicção e confiança que algo é verdadeiro sem que seja possível qualquer comprovação. Isso significa que a fé é um dom do coração. Não existe nenhum parâmetro para medir a fé que uma pessoa diz ter, pois ela é imensurável, ela existe ou não. Ela é como o fogo de uma vela, que vai aquecer e brilhar enquanto for alimentado pela parafina, porém, se a parafina acabar, o fogo vai se extinguir. A fé depende do empenho com que a pessoa a alimenta para que ela continue viva e brilhando cada dia mais para iluminar o seu caminho.

Maria Aparecida de Cicco

Pai Eterno, concede que eu não perca a confiança quando as trevas me cercarem, mas fique firme e confiante na tua presença ao meu lado. Amém.

Hoje: *Dia do Farmacêutico.*

Santos do dia: *Sebastião / Fabiano / Mauro de Casena.*

20 Janeiro

Muitos são servos de concepções caducas da vida. Caminham com as costas voltadas para o futuro, como se dirigissem suas vidas orientando-se tão somente pelo espelho retrovisor. Rebelam-se contra os pais, mas logo em seguida querem decorar a vida dos filhos com as mesmas cores que antes negavam. Talvez, por terem descoberto menos do que herdaram. Repetem, então, as mesmas histórias, usam as mesmas medidas, riem ou choram pelos iguais motivos. Falta coragem para ir contra a maré, continuam naufragando em águas rasas. Viver não pode ser simplesmente um ato de obediência, é um ato de amor! O amor não é dever, é compreender!

Pe. Paulo de Araújo

Ó Deus, Tu nos criaste para amar. Ajuda-nos a descobrir a tua presença e o teu amor em nós. Não nos deixes perder a esperança. Amém.

21 Janeiro

Hoje: *Dia Mundial da Religião e dia Nacional de Combate à Intolerância Religiosa.*

Santos do dia: *Inês / Frutuoso / Epifânio.*

Creio na Igreja Católica e respeito as outras religiões. Mas já fiz a minha escolha: quero viver e morrer seguindo Jesus dentro da visão católica, que tem uma história de vinte séculos. Aceito seu lado bom e seu lado pecador, e luto para corrigir o que pode ser mudado na minha Igreja. Creio que Deus perdoa nossos pecados e é misericordioso e justo. Creio que viverei eternamente e que, após a minha morte corporal, continuarei sendo a pessoa que sou, sem o limite do corpo. Nunca mais acabarei.

Pe. Zezinho, SCJ

Senhor, quando me afasto de ti minha vida perde o sentido, não permita que as ilusões ou agruras do mundo me afastem do teu Amor. Amém.

22 Janeiro

Santos do dia: *Vicente da Espanha / Vicente Palotti / Gaudêncio / Victor.*

Nosso contexto está marcado por uma agitação de coisas, trabalhos, correrias... e ao mesmo tempo estamos vivendo uma vida de expectativas, de sonhos, de desejos muito sinceros... O encontro destes sonhos vividos numa realidade histórica concreta pode fazer surgir um projeto de vida... De fato, a pessoa nunca está só e ela se autocompreende na relação com os outros. Um projeto de vida é um trabalho pessoal de discernimento da realidade – dos "sinais dos tempos" – e daquilo que a pessoa vai sentindo e experimentando em si mesma.

Canísio Mayer

Senhor, neste ano, ajuda-nos a realizar nossos sonhos, a reconhecer e a corrigir nossos defeitos e a perdoar os dos outros. Amém.

23 Janeiro

Santos do dia: *Ildefonso / Áquila / Severiano.*

Cada qual faz a perfeição a seu modo. Uns a põem na austeridade do hábito; outros, no comer, na esmola, na frequência dos sacramentos; outros, na oração, numa espécie de contemplação passiva e sobre-eminente; outros, nas graças extraordinárias. Não sei nem conheço outra perfeição senão amar a Deus de todo o coração e ao próximo como a si mesmo.

São Francisco de Sales

Senhor, grande é teu amor por nós; faze que eu sempre saiba retribuir vivendo à sombra dos teus mandamentos e seguindo tua vontade. Amém.

Hoje: *Dia Nacional do Aposentado.*
Santos do dia: *Francisco de Sales / Feliciano da Úmbria / Urbano.*

24 Janeiro

A cada idade, é verdade, corresponde uma plenitude. De uma criança se espera a graça da espontaneidade, a alegria da confiança nos adultos e uma grande curiosidade diante de tudo. É a idade da total dependência. Em um jovem, todos querem ver o entusiasmo de viver, a paixão pela vida e a coragem de arriscar. É a idade dos sonhos e das buscas nem sempre coerentes e possíveis. De um adulto, por seu lado, espera-se que seja assertivo, determinado, que tenha equilíbrio emocional, criatividade e capacidade de renúncia e generosidade. É a idade das grandes afirmações e conquistas. Num velho, todos querem ver sabedoria, acolhimento, disposição para o perdão, bom humor e paciência diante dos achaques da idade. É a idade da graça de ser vovô e mestre da vida.

Frei Neylor J. Tonin, OFM

Jesus, recorremos a ti, pedindo pelos idosos para que tenham uma vida com qualidade. Proteja-os dos maus-tratos. Amém.

25 Janeiro

Hoje: *Conversão de São Paulo. Dia dos Correios e Telégrafos e dia do Carteiro.*

Santos do dia: *Paulo de Tarso / Juventino / Apolo.*

"Não sabemos pedir como convém, mas é o Espírito que pede em nós com gemidos inefáveis" (São Paulo). Não temos, pois, nada a fazer senão entregar nossa alma, abandoná-la ao nosso grande Deus. Que importa que ela não tenha qualidades que brilhem ao exterior se, dentro, brilha o Rei dos reis com toda a sua glória? Como deve ser grande uma alma para conter Deus! E, no entanto, a alma de uma criancinha de um dia lhe é um Paraíso de delícias. O que não serão nossas almas que lutaram, sofreram para arrebatar o coração de seu Amado?

Santa Teresinha do Menino Jesus

Ó querido São Paulo, que confiaste totalmente em Deus, aceitando Jesus e o Evangelho em tua vida, ajuda-me a seguir o teu exemplo. Amém.

26 Janeiro

Santos do dia: *Timóteo / Tito / Paula.*

A pessoa boa vem de Deus e volta para Ele. Começa pelo dom do ser e pelas capacidades que Deus lhe deu. Alcança a idade da razão e principia a fazer opções. A tendência dessas opções já está, em grande escala, orientada pelo que lhe ocorreu nos primeiros anos de vida e também pelo seu temperamento. Continuará a ser influenciada pelas ações dos que a cercam, pelos acontecimentos do mundo em que vive, pelas características do ambiente da sociedade a que pertence. Todavia, essa tendência permanece fundamentalmente livre.

Thomas Merton

Jesus, que eu saiba amar os irmãos da mesma forma que Tu nos amaste, aceitando o modo de ser de cada um e sem impor condições. Amém.

27 Janeiro

Santos do dia: *Ângela Mérici / Julião / Avito.*

Quando algum pensamento negativo de desânimo, de angústia, um "não tenho sorte", ou "nunca conseguirei sair desta..." etc., lhe atravessar o espírito, apague-o. Poderá mesmo fazer mentalmente o gesto de apagar uma frase no quadro-negro. E, em pensamento, escreva bem claramente o pensamento positivo. E conserve-o. Persuada-se de uma vez por todas de que, se você perseverar, dia virá em que o pensamento positivo se apresentará sozinho: a felicidade para você se terá tornado, então, um hábito.

Marcelle Auclair

Ó Jesus, ampara-nos em nossas tribulações, dando-nos forças para acreditar no amor e no poder divinos. Amém.

28 Janeiro

Hoje: *Dia do Portuário, dia Nacional de Combate ao Trabalho Escravo e dia do Auditor Fiscal do Trabalho.*

Santos do dia: *Tomás de Aquino / Leônidas / Pedro Nolasco / Gonçalo do Amarante.*

Para voar é preciso estar livre no ar. Há pessoas que se comportam como peixinhos de aquário por sua maneira de pensar, pois se fecham em alguns conceitos e acham que não existe outra maneira de ver e interpretar a realidade. Esvaziando sua mente e estando aberto ao "devir", descobrirá que além de seu aquário existe um mundo a desvendar, quando aprender a ver através do vidro. Pensar é como voar, só se alça voo quando se abandona a segurança da terra firme e se lança no ar confiando na resistência do vento e em sua capacidade de bater assas.

José Irineu Nenevê

Senhor, eu confio em ti e creio no teu amor, por isso te peço que não me desampare nem me deixe só nas horas em que eu vacilar ou cair. Amém.

29 Janeiro

Santos do dia: *Aquilino / Bambina / Constâncio.*

Há um combate espiritual que se dá cara a cara com Deus. Às vezes porque queremos alcançar dele um favor que abençoe nosso desejo. Outras vezes porque é Deus mesmo que quer ter de nós a resposta que nossa natureza ainda não está disposta a dar. Somos peregrinos, vamos nos fazendo num longo processo e o combate é expressão de um entendimento que às vezes demoramos a alcançar. "Entenderás mais tarde" (Jo 13,7), diz Jesus a Pedro.

Carolina Mancini

Pai amado, em tuas mãos entrego minha vida, pois sei que queres o melhor para mim. Somente em ti confio. Amém.

Hoje: *Dia Nacional dos Quadrinhos e dia da Saudade*

Santos do dia: *Jacinta de Mariscotti / Savina / Barsimeu / Martinha.*

30 Janeiro

Pai nosso que estás no céu

O Pai-nosso começa com uma invocação que dá um tom próprio a toda a oração. Esta invocação nos faz experimentar Deus como Pai querido e próximo, desperta em nós a confiança total e nos faz sentir-nos irmãos de todos que são seus filhos. Este chamado inicial ao Pai não é só uma invocação introdutória que precede as diversas petições, mas deve criar em nós o clima de intimidade e confiança que há de impregnar toda a oração que segue. Para nós, Deus não é um problema teórico sobre o qual podemos falar e discutir, mas Alguém vivo e próximo com quem podemos dialogar como Pai e Amigo querido.

José Antonio Pagola

Pai, que eu não olhe as pessoas com indiferença, nem me sinta superior a elas, mas com tua ajuda eu viva em comunhão com os irmãos. Amém.

31 Janeiro

Santos do dia: *João Bosco / Marcela / Luísa Albertoni.*

Saiba ouvir

O povo diz: "Deus nos deu dois ouvidos e uma boca", ou seja, devemos ouvir mais e falar menos. Saber ouvir é uma dádiva divina. Existem pessoas que falam demais. Quem fala demais não ouve, e se não ouve não aprende e, se não aprende, não vive.

Para ouvir precisa sair um pouco do seu egocentrismo. Pessoas centradas em si mesmas, pensando que são os melhores do mundo nunca crescem, porque não aprendem com os outros e com a vida. Saber ouvir é uma virtude que precisa ser trabalhada nos dias de hoje.

Muitas pessoas precisam falar, querem atenção, carinho. Dê atenção a estas pessoas, deixe-as falar, fique quieto e em silêncio ouça tudo, separe o que é bom e deixe o que é ruim. Não julgue antes da hora.

Demore um pouco para formar a sua opinião, medite com calma em tudo. Faça como as vacas que ficam horas sentadas ruminando a comida. Às vezes é preciso até parar de fazer o que estamos fazendo para escutar alguém.

Acostume a fazer gentilezas, você vai se sentir muito bem. Pode ser até um ato de caridade. Um grande segredo? Saber ouvir, sempre!

José Trasferetti

São João Bosco, mestre da juventude, peço-te que dê discernimento e coragem aos jovens para testemunharem o amor a Jesus Cristo. Amém.

1 Fevereiro

Santos do dia: *Severo / Henrique Morse / Veridiana.*

O amor não tem medida

Quando damos algo a outra pessoa, devemos exceder a nossa medida. Eis o que Jesus exige de nós no Evangelho de Lucas: "Dai, e ser-vos-á dado; boa medida, recalcada, sacudida e transbordando vos deitarão no regaço; porque com a mesma medida com que medis, vos medirão a vós" (Lc 6,38). Ulrike Nisch, uma mulher muito simples, que foi beatificada no fim do século passado, tinha como lema para a sua vida o seguinte: "O amor não tem medida". Quando o nosso amor jorra da fonte do amor divino, ele não tem medida. É que a fonte divina é sem medida. Um amor assim não nos desgasta. E nós seremos, como Jesus diz, presenteados com uma medida boa e transbordante.

Anselm Grün

Ó Pai, ajuda-nos a respeitar as diferenças entre as pessoas e a amar uns aos outros como o Senhor nos ensinou. Amém.

2 Fevereiro

Hoje: *Apresentação do Senhor. Dia do Religioso e dia do Agente Fiscal.*

Santos do dia: *Nossa Senhora dos Navegantes / Catarina de Ricci / Feliciano de Roma / Joana de Lestonnac.*

A oração

Sem oração não pode haver consciência da própria fraqueza. A oração é a chave que abre a porta da manhã e fecha a da noite. Só de Deus, por meio da oração, vem toda a nossa força. Rezar não é pedir. Rezar é a respiração da alma.

Mahatma Gandhi

Jesus, Tu que és a Luz das nações, para que ninguém ande nas trevas, ilumina-nos para sermos portadores de tua Luz. Amém.

3 Fevereiro

Santos do dia: *Brás de Sebaste / Oscar / Celerina.*

Evite palavras do tipo "nada dá certo", "estou com azar"... Não pense, não diga nem se deixe levar por essas ou outras formas de expressões depreciativas. Manter esse tipo de palavras na boca ou na mente é estar dando guarida a eflúvios negativos que vão acompanhá-lo, pondo em risco o sucesso dos seus projetos. Tire essas palavras da sua cabeça! Mentalizá-las é criar dentro de si um inimigo invisível. Mentalize, ao contrário, palavras de elevação, que revelem alto-astral e reforcem sua auto-estima. Pense e fale, ante qualquer dificuldade: "tudo vai dar certo", "a sorte está ao meu lado". Ao se expressar assim, de forma positiva, você vai transformar a ideia em desejo e o desejo em realidade!

Inácio Dantas

Senhor, sei que o medo paralisa as pessoas; não permita que eu fique paralisado, mas que enfrente com confiança as trevas do mundo. Amém.

4 Fevereiro

Santos do dia: *José de Leonissa / Remberto / Joana de Valois.*

Toda a nossa força está na oração. Sem ela não podemos fazer nada. É por intermédio da oração que obtemos de Deus as graças necessárias para executar bem a nossa missão entre os pobres. Somos criaturas humanas, frágeis e sujeitas às tentações. Através da oração, Deus nos transmite todas as graças de que necessitamos para levar a cabo o nosso trabalho de amor e de dedicação, sem reservas, aos nossos irmãos sofredores, os pobres.

Gaetano Passarelli

Senhor, ensina-nos a bondade, combate nossa indiferença perante a pobreza, dá-nos discernimento para vivermos em paz. Amém.

5 Fevereiro

Hoje: *Dia do Datiloscopista.*

Santos do dia: *Águeda / Genuíno / Adelaide de Vilich.*

No falar, todas as emoções não elaboradas podem vir à tona. Recebem ar, respiram, deixando de ser elaboradas, de ser mantidas sob as rédeas. O silêncio não reprime as emoções e agressões, mas as domestica, impõe ordem sobre elas. Com o falar, as emoções sempre de novo são remexidas; com o silêncio elas podem assentar-se. É como o vinho. Quando mexido, o vinho torna-se turvo, mas quando o deixamos parado e calmo ele torna-se claro e transparente.

Anselm Grün

Pai, que eu tenha um coração sereno, que afaste de mim toda angústia e ansiedade e me faça encontrar a paz de espírito no Senhor. Amém.

Santos do dia: *Paulo Miki / Doroteia / Gastão.*

6 Fevereiro

Estamos vivendo uma nova época em que é preciso escutar, escutar os passos das pessoas, escutar o coração de Deus, escutar a vida, escutar os passos de tantos que estão conosco, que cruzam nossas vidas, que estão tentando caminhar à beira de um caminho que lhes está sendo negado, fechado, bloqueado. Será que é possível escutar os passos dos que já não mais conseguem caminhar? Escutar o grito silencioso dos que foram colocados à beira da estrada? Como escutar o grito abafado dos que foram "expremidos" à beira da vida, à beira do calor de um abraço, da ternura, do toque, da solidariedade, à beira do amor que grita justiça e da justiça que deseja ser amada?

Canísio Mayer

Senhor, que tua Justiça triunfe no mundo, para que todos tenham vida digna, em abundância, plena de alegria, felicidade e paz. Amém.

7 Fevereiro

Hoje: *Dia Nacional do Gráfico.*

Santos do dia: *Coleta / Ricardo de Toscana / Eugênia Smet.*

Quando somos um com Deus, no amor, tudo possuímos nele. Tudo é nosso para ser oferecido a Ele, em Cristo, seu Filho. Pois todas as coisas pertencem aos filhos de Deus e somos de Cristo, e Cristo é de Deus. Repousando em sua glória, acima do prazer e da dor, da alegria e da tristeza, e de tudo o mais, o bem ou o mal, amamos em tudo sua vontade, de preferência às coisas em si mesmas. E é assim que fazemos da Criação um sacrifício de louvor ao Senhor. Esse é o fim para o qual todas as coisas foram criadas por Deus.

Thomas Merton

Senhor, minha vida só tem sentido quando reflete o teu Amor; ajuda-me a viver imerso nesse amor que me conduz rumo ao Infinito. Amém.

Santos do dia: *Jerônimo Emiliani / Josefina Bakhita / Ciríaco / Juvêncio.*

8 Fevereiro

Mandamentos do otimismo

1. Consiga uma pequena vitória sobre cada pequena coisa que te proponhas. 2. Não gastes o tempo em não fazer nada, mesmo que estejas a descansar. 3. Nunca te queixes de má sorte; combate-a. 4. Nunca deixes de fazer diariamente um pequeno esforço. 5. Mantém sempre vivo o poder de combatividade. 6. Se tens de fazer vários trabalhos começa por aquele que mais te desagrada. 7. Entre dois caminhos escolha sempre aquele que sobe.

Autor desconhecido

Senhor, fortalece a nossa fé em ti nos momentos de dificuldades, quando fraquejamos diante dos obstáculos impostos pelo dia a dia. Amém.

9 Fevereiro

Santos do dia: *Apolônia / Alexandre de Roma / Donato / Maron.*

"Pedi e vos será dado; buscai e achareis; batei e abrir-se-vos-á" (Mt 7,7). Qualquer destas três frases encerra o mesmo sentido: Nosso Senhor repete-nos a mesma coisa sob três formas diversas: que é necessário pedir na oração, pedir incessantemente, e que seremos atendidos: se por vezes Ele parece não satisfazer o nosso pedido, isso é porque este não era suficientemente esclarecido, pelo que nos foi concedido, em vez do que pedíamos, algo de melhor...

Bv. Charles de Foucauld

Jesus Amado, confiante em tuas palavras "Pedi e recebereis", apresento minhas preocupações, meus sofrimentos e esperanças. Amém.

10 Fevereiro

Hoje: *Dia do Atleta Profissional.*

Santos do dia: *Escolástica / Guilherme de Maleval / Silvano.*

Os doentes incuráveis e os pecadores socialmente banidos experimentam inequivocamente que só Deus é Deus. Também os condenados à morte vivem de modo intenso esta realidade. Só Deus é Deus. Ninguém salva, a não ser Deus. Ninguém liberta em profundidade, senão Deus. Ninguém conforta nessa hora; somente Deus. Ninguém – apenas Deus – possibilita uma misteriosa alegria (não confundir alegria com prazer) quando os olhos do autêntico vislumbram a lâmina.

João Mohana

Jesus, ilumina-nos para sabermos que a fé em ti não é para nos livrar do sofrimento e, sim, é uma força para vencermos as dificuldades. Amém.

11 Fevereiro

Hoje: *Dia Mundial do Enfermo.*

Santos do dia: *Nossa Senhora de Lourdes / Pascoal I / Lúcio.*

Um dos melhores antídotos contra quase todos os tipos de males é o bom humor. Quem cultiva em sua vida a alegria consegue extrair o lado jocoso dos acontecimentos tirando assim o seu peso dramático. Ser alegre é como ser uma luz na escuridão, pois transforma vultos assustadores em formas bem-definidas e alegres. Ao procurar despertar o lado bom e alegre de tudo, a pessoa se torna semelhante a um jardim florido, pois destaca a beleza de tudo que lhe acontece. Seja alegre, vale a pena.

José Irineu Nenevê

Nossa Senhora de Lourdes, ensina-me a falar com Deus no recolhimento. Ajuda-me a alcançar a paz e a graça de que necessito. Amém.

Santos do dia: *Eulália / Antônio de Constantinopla / Etevaldo.*

12 Fevereiro

Para rezar

Para rezar é preciso fazer o esforço de ir ao encontro de Deus, num esforço afetivo e não intelectual. Uma meditação sobre a grandeza de Deus, por exemplo, só poderá ser considerada uma oração se for, ao mesmo tempo, expressão de fé e de amor. Breve ou longa, vocal ou somente mental, a oração deve ser semelhante à conversa de um filho com o pai. “Apresentamo-nos a Ele tais quais somos”, dizia uma irmãzinha de caridade. Em suma, reza-se como se ama: com todo o ser, com tudo o que se é.

Alexis Carrel

Senhor, escuta a minha oração, ensina-me a amar e a perdoar as pessoas por suas falhas, pois só Tu és perfeito. Amém.

13 Fevereiro

Hoje: *Dia Mundial do Rádio.*

Santos do dia: *Benigno / Estêvão de Rieti / Ermelinda.*

Na vida não basta perceber os limites, os vazios e as dificuldades. É preciso acolhê-los e orientá-los numa perspectiva de esperança, dentro de um sonho de uma "nova casa". No Evangelho, Jesus conjuga com insistência o verbo *fazer*: na Parábola do Bom Samaritano, Ele não diz *saiba isso* e viverás, mas "*faça* isso e viverás"; quando fala do perdão – por exemplo, em Lucas 15 – temos a atitude comovente do Pai que não contempla o seu filho voltando à casa paterna, mas corre-lhe ao encontro, abraçando-o, beijando-o, acolhendo-o... amando-o. A misericórdia de Deus é gratuita e radical. É gesto, é vida... é novidade.

Canísio Mayer

Deus Misericordioso, vence dentro de mim o desânimo e o cansaço e renova em meu coração a esperança de viver para sempre no teu amor. Amém.

Santos do dia: *Cirilo / Metódio / Valentim.*

14 Fevereiro

Tempo para o amor

"Um coração que ama é sempre jovem", eis o que diz um ditado grego. Quando o amor emana de um idoso, temos a impressão de que ele é vivo e viçoso. O amor nos mantém jovens, mas não posso amar em meio ao caos do cotidiano. O amor precisa de tempo. Ele quer ser enxergado. Quando duas pessoas que se amam estão juntas, elas não se precipitam em uma atividade frenética. Elas precisam de tempo para dar atenção ao amor, para experimentá-lo em seu coração.

Anselm Grün

Jesus, que todos os casais de namorados busquem a mútua compreensão e o crescimento na fé. Amém.

15 Fevereiro

Hoje: *Dia Internacional de Combate ao Câncer Infantil.*

Santos do dia: *Jovita / José de Antioquia / Geórgia.*

O começo da fé é como uma faísca que cai no coração para acender nele uma luz, a luz da fé. Esta fé é como um tenro raminho que quebra a dura casca da terra, para um dia desabrochar em linda flor. É preciso ter muito cuidado para não apagar a chama e não quebrar e pisar no raminho...

Frei Wenceslau Scheper, OFM

Senhor Jesus, ensina-me a perseverar na fé para alcançar todas as promessas que fizeste e para merecer a misericórdia de Deus Pai. Amém.

Santos do dia: *Elias / Jeremias / Daniel / Gilberto de Sempringham.*

16 Fevereiro

Certo imperador chinês, quando indagado sobre qual seria a atitude mais urgente a ser tomada para melhorar o mundo, respondeu sem hesitar: "Reformular as palavras!" Com isso, pretendia dizer: devolver às palavras seu verdadeiro significado. E tinha razão. Há palavras que, pouco a pouco, foram completamente esvaziadas de seu significado original e preenchidas com um significado inteiramente oposto. Seu uso se tornou então mortífero. É como colocar num frasco de veneno a etiqueta "digestivo efervescente": alguém acabará sendo envenenado. Os Estados promulgaram leis severíssimas contra aqueles que falsificam as notas de dinheiro, mas nenhuma contra aqueles que falsificam as palavras.

Pe. Raniero Cantalamessa

Senhor, ajuda-me a ter um coração justo e sincero, uma alma incorruptível, para que eu mereça ver a tua face e viver a vida eterna. Amém.

17 Fevereiro

Santos do dia: *Sete Santos Fundadores da Ordem dos Servitas / Rômulo / Silvino / Reginaldo de Orleans.*

A nossa alegria é um bom indicador de nossa harmonia com Deus. Quem cultiva o bom humor tem a capacidade de superar obstáculos, por estar acima dos tentáculos do pessimismo destrutivo que cega e dificulta a pessoa de encontrar alguma saída. São Francisco de Assis, quando encontrava algum frade triste, pedia que este fosse se confessar para restabelecer sua harmonia com Deus e assim voltar à alegria. Quando vivemos alegres, todo o dia é como se fosse o dia de nosso aniversário, pois tudo concorre para o nosso bem.

José Irineu Nenevê

Senhor, possamos viver nossa existência com alegria e equilíbrio. Livra-nos das brigas, abusos e dos perigos. Amém.

18 Fevereiro

Santos do dia: *Flaviano / Heládio / Cláudio / Bv. João de Fiésole.*

Nossa oração, feita com humildade e caridade, no jejum e na esmola, na temperança e no perdão das ofensas, dando coisas boas e não retornando às más, afastando-se do mal e fazendo o bem, busca a paz e a alcança. Com as asas dessas virtudes, nossa oração voa segura e é levada com mais segurança até o céu, onde Cristo, nossa paz, nos precedeu.

Santo Agostinho

Senhor, recordemo-nos sempre que somos pó e a ele um dia voltaremos. Pedimos-te a graça da conversão diária. Amém.

19 Fevereiro

Santos do dia: *Conrado de Piacenza / Álvaro de Córdova / Gabino.*

Frequente os sacramentos

Se você é cristão não deixe de frequentar os sacramentos. Eles são sinais visíveis da invisibilidade de Deus. Deus se faz presente por meio dos sacramentos. Trata-se de uma bênção divina. O amor de Deus se expande nestes momentos. Você pode ser agraciado com a bênção divina. Alimentar-se do corpo eucarístico é uma dádiva. Confessar os pecados é uma graça. Estar em sintonia com Deus é uma necessidade da alma. Você pode rezar em todo lugar, a qualquer hora. Deus se faz presente na sua vida por inteiro. Mantenha-se conectado com Ele, por meio de muitas formas. A oração é um momento sublime que pode ser vivenciado dentro de um ônibus, ou no momento em que você acorda. Agradeça sempre ao bom Deus. A chuva, o ar, a terra, a saúde, a energia, tudo vem de Deus. Não seja ingrato e agradeça sempre.

José Trasferetti

Pai de Bondade, que eu saiba abdicar de meus prazeres e aproximar-me de meus irmãos vivendo a conversão. Amém.

Santos do dia: *Eleutério / Zenóbio / Leão de Catânia / Nilo.*

20 Fevereiro

O deserto foi criado simplesmente para ser o que é, não para ser transformado pelos homens em algo diferente. Assim, também, a montanha e o mar. O deserto é, portanto, o lugar lógico de habitação para o homem que não procura outra coisa senão ser ele próprio – isto é, uma criatura solitária e pobre, dependendo unicamente de Deus, sem nenhum grande projeto que se interponha entre ele e seu Criador.

Thomas Merton

Ó Deus, dá-nos forças para viver plenamente o amor e a misericórdia em nossa vida e em nosso coração. Amém.

21 Fevereiro

Santos do dia: *Pedro Damião / Sérvulo / Fortunato.*

Aquilo que todo cristão faz sempre, deve agora praticar com maior dedicação e devoção, para cumprir a norma apostólica do jejum quaresmal, que envolve a abstinência não apenas da comida, mas sobretudo a abstinência dos pecados. A este obrigado e santo jejum não se pode acrescentar um trabalho mais útil do que a esmola, que, sob a denominação única de "misericórdia", inclui muitas obras boas. Imenso é o campo de obras de misericórdia. Não só os ricos e abastados podem beneficiar os outros com a esmola; também os de condição modesta ou pobre. Assim, apesar de desiguais nos bens, todos podem ser iguais aos sentimentos de piedade da alma.

São Leão Magno

Pai, faze que saibamos viver nossa fé dia a dia com amor, alegria e na oração perseverante. Amém.

22 Fevereiro

Hoje: *Cátedra de São Pedro.*

Santos do dia: *Abílio / Maximiano / Lineu / Margarida de Cortona.*

Bem sabia a iluminada menina (Maria) que Deus não aceita um coração dividido, mas o quer todo consagrado ao seu amor, conforme o preceito dado: "Amarás o Senhor, teu Deus, de todo o teu coração". Começou por isso a amá-lo com todas as forças, desde o primeiro instante de sua vida.

Santo Afonso Maria de Ligório

Nossa Mãe Maria, pede por nós a Jesus, teu Filho, para que Ele nos conceda a graça de um dia ficarmos juntos a ti na eternidade. Amém.

23 Fevereiro

Hoje: *Dia Nacional do Rotary.*

Santos do dia: *Policarpo / Sereno / Romana.*

Servir! Esta simples palavra já é um programa de vida; em si, nada tem de agradável; colocada, porém, em uma esfera superior, reveste toda a nobreza da caridade. Disse Goethe que "ninguém procura servir espontaneamente; mas basta pensar que possa ser útil ao próximo, a si mesmo e a Deus, e especialmente aos que o rodeiam, para que se disponha a servir de bom grado".

Lucas

Senhor Jesus Cristo, peço-te que me guies nesta caminhada a uma verdadeira conversão e à vivência da sincera caridade. Amém.

Santos do dia: *Sérgio / Montano / Edilberto.*

24 Fevereiro

Humildade é o silêncio perpétuo do coração. É estar sem problemas. É nunca estar descontente, contrariado, irritado ou ofendido. É não me surpreender com qualquer coisa feita contra mim, mas sentir que nada é feito contra mim. Significa que, quando eu for repreendido ou desprezado, eu tenha um lar abençoado dentro de mim, onde eu possa entrar, fechar a porta, ajoelhar-me em frente ao meu Pai em segredo e estar em paz como num profundo mar de calmaria, quando tudo ao meu redor está aparentando agitação.

Dr. Bob

Pai, concede-me o desapego das aparências, da ânsia de luxo, do querer ter mais do que ser, para viver na simplicidade de filho teu. Amém.

25 Fevereiro

Santos do dia: *Vítor / Cesário de Nazianzo / Hereno.*

A obra de Deus é a fé; a santidade é a fé; a vontade de Deus, a perfeição, a glória de Deus, o que lhe agrada, da nossa parte e de modo perfeito, é a fé. A fé da alma e a fé nas obras compõem, uma vez reunidas, a fé viva: uma fé sem obras não seria fé, seria uma fé morta, uma zombaria.

Bv. Charles de Foucauld

Jesus, a fé sem obras é morta; suplico que faças de mim um operário na construção do Reino, incansável na realização de tuas obras. Amém.

26 Fevereiro

Hoje: *Dia do Comediante.*
Santos do dia: *Deodoro / Porfírio / Nestor.*

Sou um homem de oração

Encontrei gente que inveja a minha paz. Essa paz vem-me da oração. Não sou um homem de cultura, mas penso ser um homem de oração. A oração salvou-me a vida. Sem ela eu estaria louco há muito tempo. Se consegui libertar-me do desespero foi graças à oração. A oração não foi parte da minha vida como foi a verdade; a oração desabrochou simplesmente da necessidade, quando me encontrava em situações nas quais não poderia absolutamente ser feliz sem ela. Com o passar do tempo a minha fé em Deus aumentou, e o desejo de rezar tornou-se mais irresistível. A comida não é tão indispensável ao corpo como a oração à alma, pois o jejum é, por vezes, necessário para conservar a saúde do corpo, enquanto que o jejum da oração não existe. Para viver no meio dos seres humanos é necessária uma força eficaz, absoluta: a da oração. Rezar é estar com Deus.

Mahatma Gandhi

Senhor, faze com que eu saiba viver no teu amor, fazendo de cada gesto um louvor e de todo o meu agir uma oração, por toda a vida. Amém.

27 Fevereiro

Santos do dia: *Leandro de Sevilha / Valdomiro / Besas.*

Idade não pode ser argumento para que deixemos de sonhar. Idade é apenas um estágio físico e o sonho, o desejo de realizar, é estado de espírito. Sempre será tempo de se reconstruir, reconquistar, de realizar sonhos adormecidos. Sempre será tempo de ser feliz. O ser humano sonha em ser feliz desde que tomou consciência de sua condição de ser humano. Desejar a felicidade é uma característica que nos diferencia dos outros seres vivos, porém temos que ter lucidez do que é ser feliz.

Maria Augusta Christo de Gouvêa

Peço a ti, Senhor, que não permitas que nenhum mal, do corpo, da mente ou da alma, me tire a felicidade que vem da certeza de teu amor. Amém.

Santos do dia: *Justo / Romão / Serapião.*

28 Fevereiro

O pecado é a recusa livre ao apelo do amor de Deus. É a negação de tudo aquilo que Deus pensou da pessoa humana. É agir de modo oposto e contrário ao modo de agir de Deus. É não querer ser filho. É servir aos ídolos da morte e opor-se ao Deus da vida. É não à solidariedade e centrar-se em si mesmo. É não à verdadeira liberdade. É usar a liberdade a serviço do egoísmo. Pecado é o que deu morte ao Filho de Deus e segue matando os filhos de Deus, ainda hoje.

Canísio Mayer

Ó Deus, dá-me a graça de dominar os maus sentimentos com as obras de caridade, vivendo dia a dia com alegria e esperança. Amém.

29 Fevereiro

Santos do dia: *Hilaro / Macário / Hedviges da Polônia.*

No silêncio Deus toca nossos corações

O silêncio faz com que nos confrontemos conosco mesmos e com Deus. É necessário não só silenciar nossas línguas, mas, sim, também nossa mente.

Falo isso porque, muitas vezes, quando guardamos silêncio, nossas mentes falam sem interrupção. Nossas cabeças funcionam o tempo todo sobre o que devemos ou não fazer, como devemos nos decidir ou como devemos agir.

Muitas vezes essas reflexões são simplesmente um desvio do que é a verdade. Preferimos nos concentrar em nossas mentes para não deixar que Deus toque os nossos corações.

Podemos até ter pensamentos piedosos, mas eles também estão ali somente para nos escondermos de Deus.

Neste momento devemos guiar Deus aos nossos corações, para que Ele fale conosco, para que descubra a nossa verdade e para que, com suas palavras, nos cure, traga a paz para nossas mentes, para que suas palavras de amor nos tragam a mais profunda paz.

Anselm Grün

Senhor Deus, como é difícil silenciar-me. O silêncio me incomoda e a agitação me conduz ao cansaço. Ajuda-me a esvaziar-me dos ruídos para acolher a sua voz e a sua paz. Amém.

1 Março

Santos do dia: *Albino / Adriano de Marselha / Eudócia.*

O dinheiro é o diabo do mundo atual. Ele consegue tudo: comprar os votos políticos, comprar o corpo de uma mulher, trair os amigos sinceros, revelar segredos, matar o inimigo. Seja livre! Não se deixe comprar. O seu rosto revele sua simplicidade, sua vida. Deixar-se enganar é perigoso. Deus não fez o dinheiro, mas deu ao ser humano inteligência suficiente para ganhá-lo honestamente.

Frei Patrício Sciadini, OCD

Senhor, peço-te que me dês a força de perseverar na oração para alcançar a conversão e viver no teu amor. Amém.

2 Março

Santos do dia: *Inês da Boêmia / Jovino / Januária.*

Contra o apego

O apego tem sido muito prejudicial para a vida das pessoas. Infelizmente somos muitos apegados. Apegados a tudo: carros, roupas, joias, pessoas, dinheiro, bens e tantas outras coisas. Estas coisas são tão passageiras, acabam, morrem. E as pessoas ficam lastimando, sofrendo. É possível viver sem apego? Uma nova cultura deve ser construída. É o capitalismo que nos ensina o apego. Somos vítimas deste sistema há mais de quinhentos anos. Nossa alma esta impregnada desta forma de ver as coisas. Queremos possuir tudo, entretanto, não possuímos nada. Viver desapegado de tudo é um desafio para os próximos anos. Desafio que afeta a vida social e econômica, moral e espiritual. Nada nos pertence, tudo é de Deus. Somos apenas filhos do criador e assim devemos conceber a vida.

José Trasferetti

Pai, faze com que eu viva o desapego em minha vida. Desapego das coisas, das ideias, dos pensamentos, de tudo que me impeça de ser livre. Amém.

3 Março

Hoje: *Dia do Meteorologista.*

Santos do dia: *Marino / Márcia / Lucíolo.*

O Pai-nosso se reza no plural desde o começo até o fim. Jesus nos ensina a dizer "Pai nosso", e não "Pai meu". Quem invoca assim a Deus não pode desentender-se com os outros. Não podemos apresentar-nos diante de Deus só com os nossos problemas e preocupações, alheios aos outros homens e mulheres. No Pai-nosso não se pede a Deus nada só para si mesmo, mas para todos. O Pai-nosso só pode ser rezado com um coração grande e universal. Deus é "nosso", de todos. Ninguém deve ficar excluído. Deus é Pai de toda a família de seguidores de Jesus. Mas é também Pai de todos, sem discriminação nem exclusão alguma.

José Antonio Pagola

Pai, ajuda-me a viver a solidariedade no meu dia a dia, sem desanimar, me colocando ao lado dos irmãos e lutando por justiça com eles. Amém.

Santos do dia: *Casimiro / Arcádio / Eugênio / João Antonio Farina.*

4 Março

A oração é inspirada por Deus nas profundezas do nosso nada. Ela é o movimento de confiança, gratidão, adoração, ou pesar, que nos coloca diante de Deus, vendo tanto a Ele como a nós mesmos à luz da sua verdade infinita, e nos move a pedir-lhe a misericórdia, a força espiritual, o auxílio material de que todos precisamos. A pessoa cuja oração é tão pura que ela nunca tem nada para pedir a Deus, desconhece quem é Deus e ainda ignora quem é ela mesma: pois não conhece a sua própria carência de Deus.

Thomas Merton

Senhor Jesus, transforma a minha vida para que eu seja fiel a ti em tudo, vivendo como autêntico discípulo em comunhão com os irmãos. Amém.

5 Março

Hoje: *Dia do Filatelista Brasileiro, dia Nacional da Música Clássica e Aniversário de Fundação da Editora Vozes (1901).*

Santos do dia: *Domingos Sávio / Eusébio / Virgílio de Arles / João José da Cruz.*

Mandamentos da sensatez

1. Não deixes para amanhã o que podes fazer hoje. 2. Não ocupes o outro naquilo que tu mesmo podes fazer. 3. Não gastes o dinheiro que ainda não ganhaste. 4. Jamais compres o que te é inútil, só para aproveitar uma oportunidade. 5. A vaidade e o orgulho custam mais que a fome, a sede e o frio. 6. Nunca nos arrependamos de ter comido pouco. 7. Não traz cansaço o que é feito de boa vontade. 8. Quantas aflições nos trouxeram as desgraças que jamais aconteceram! 9. Considera sempre o lado bom das coisas. 10. Se estás irritado, conta até dez antes de falar.

Thomas Jefferson

Senhor, agradeço-te por tua presença constante em minha vida e por me ajudar a superar os problemas que pareciam sem solução. Amém.

6 Março

Santos do dia: *Rosa de Viterbo / Marciano / Cônon / Olegário.*

Quando vamos confessar-nos, é preciso compreender o que é que vamos fazer; pode-se dizer que vamos despregar Nosso Senhor da cruz. Uma confissão bem-feita acorrenta o demônio. Os pecados que nós escondemos reaparecerão todos. Para que sejam definitivamente perdoados é necessário que bem os confessemos. Nossas culpas são grãos de areia ao lado da grande montanha que é a misericórdia de Deus.

São João Maria Vianney

Senhor meu Deus, converte-me pela força do teu Espírito e torna-me sensível aos apelos do teu Evangelho diante da vida cotidiana. Amém.

7 Março

Hoje: *Dia Nacional da Advocacia Pública e dia do Fuzileiro Naval.*

Santos do dia: *Perpétua / Felicidade / Saturnino.*

As dificuldades desaparecem quando passamos a encará-las como desafios. A capacidade do ser humano é extraordinária, possibilita transformar uma ripa e um ponto de apoio em uma alavanca. Isto só se torna possível quando aprendemos do impossível, isto é, as dificuldades, em vez de nos fazer desistir, nos levam a avaliar o cenário e transformar o que temos diante de nós em ferramentas para vencer "obstáculos". Procure usar sua criatividade antes de desistir.

José Irineu Nenevê

Senhor, dá-me a coragem que vem da fé, para enfrentar as trevas do caminho, para remover todos os obstáculos e seguir a vida confiante. Amém.

8 Março

Hoje: *Dia Internacional da Mulher.*

Santos do dia: *João de Deus / Herênia / Filêmon.*

Observo que a mulher é melhor que eu. No caminho para Deus, sinto-a sempre à minha frente. Na humildade, mais humilde. Na paciência, mais paciente, mais forte; na caridade, mais espontânea... Acredito que a mulher tem a predileção de Deus, que parece me dizer sempre: olhe para ela, e aprenda.

Carlo Carreto

Senhor, faz com que a nossa sociedade seja mais justa, que haja igualdade entre homens e mulheres no trabalho e na política. Amém.

9 Março

Santos do dia: *Francisca Romana / Cândido / Catarina de Bolonha / Gregório de Nissa.*

Onde Jesus orava?

Jesus orava, preferencialmente, na solidão e na noite, embora, eventualmente, Ele o fizesse em qualquer hora e lugar. Não resta dúvida de que a nossa oração será mais frutuosa se também soubermos reservar a melhor hora e o melhor local para a mesma.

Pe. Luiz Carlos do Nascimento

Pai, ilumina a minha vida com a tua luz, para que as trevas não me alcancem, nem o caminho se torne escuro e perigoso. Amém.

10 Março

Hoje: *Dia Mundial de Combate ao Sedentarismo e dia do Visagista.*

Santos do dia: *Dinis / Crescêncio / Simplício.*

Hoje em dia nós temos bastante compreensão para o significado da confidência como remédio. Muitas pessoas, justamente por serem hoje incapazes de verdadeira comunicação, precisam reaprender a confidenciar, a fim de com isto libertarem-se de suas tensões interiores. Para muitos constitui um problema o fato de não poderem falar sobre aquilo que os fere no mais íntimo de si. Engolem tudo, a raiva, a dor e a decepção, ficam interiormente amargurados, chegando ao ponto de com isto contraírem úlceras gástricas. Para estes seria importante aprender a falar sobre si e sobre suas feridas.

Anselm Grün

Senhor, dá-me a força de viver com sinceridade de pensamentos, gestos e palavras, anunciando o teu amor e a tua Compaixão. Amém.

11 Março

Santos do dia: *Constantino / Firmino / Zósimo.*

Simplicidade

Seja simples. Não procure mostrar mais do que você realmente é. Se possível não fique exibindo seus dotes. Deixe que as pessoas percebam de forma espontânea. Não mostre poder; pelo contrário, revele a simplicidade que existe dentro de você. Somente os que não são bons é que precisam mostrar que são bons. Os bons na verdade escondem suas capacidades, pois muitas vezes é melhor parecer ser menor do que se realmente é. Jesus de Nazaré nos ensinou muitas coisas neste sentido. Gosto de meditar sobre os ensinamentos de Jesus, sobretudo quando Ele nos ensina a ser simples. Pois foi aos simples que Deus revelou a sua sabedoria. Mas não esqueça: simples como as pombas, mas espertos e prudentes como as serpentes.

José Trasferetti

Senhor, livra-me de ser ganancioso, para que viva em mim o ser novo, que aprecia viver na simplicidade e paz. Amém.

Hoje: *Dia do Bibliotecário.*
Santos do dia: *Bernardo de Cápua / Inocêncio I / Gregório I.*

12 Março

O ser humano quer ser, quer *tomar a sua vida em suas mãos.* Para perseguir este fim, ele deve fortalecer o seu eu interior, "plasmar" o coração, reforçar a sua capacidade de ser livre diante de todos e de tudo. É preciso projetar nossos sonhos e organizar nossa esperança. É preciso organizar nossos sonhos e projetar nossa esperança. É preciso lançar o olhar para o horizonte onde estão os grandes desejos de cada pessoa e da humanidade. É preciso saber ser organizado e configurar o nosso coração de acordo com os sonhos de Deus. Deixar ressoar nos caminhos da vida o sentido da frase de Aristóteles: "A esperança é um sonho que caminha".

Canísio Mayer

Senhor, desperta em mim a esperança que me move na direção do bem maior, e me dê a graça de confiar sem qualquer temor na vida eterna. Amém.

13 Março

Santos do dia: *Modesta / Cristina / Eufrásia / Rodrigo.*

O ser humano se realiza em seu espaço. Em canções ou em poesias nós eternizamos esta busca da pessoa para seu lugar de paz e segurança, onde ele se sinta "rei", seu lar. Mesmo distante, sua mente recorda saudosa o "seu mundo". Ali não importa o conforto ou o luxo, o que vale é o amor presente. Ele é construído com o mesmo amor com que os pássaros constroem seus ninhos. Pode ter uma existência física ou ser apenas em sonho. Para muitos místicos este lugar estava em outra dimensão. Nós construímos nosso espaço de paz na medida em que semeamos amor em seu interior.

José Irineu Nenevê

Deus Pai, reconheço que sou pecador e indigno de ser teu filho, mas, por tua misericórdia, tem compaixão de mim e me dá teu perdão. Amém.

14 Março

Hoje: *Dia Nacional da Poesia, dia do Vendedor de Livros e dia Mundial de Luta contra as Barragens e em Defesa dos Rios, da Água e da Vida.*

Santos do dia: *Matilde / Eutíquio / Afrodísio.*

Por quem Jesus orava?

Jesus orava por todos que necessitassem de suas preces. Por isso, orou por seus carrascos, por Pedro, pelos discípulos de ontem e de hoje e até por si mesmo. É importante que, como Jesus, também sejamos capazes de nos lembrar de todos em nossas orações.

Pe. Luiz Carlos do Nascimento

Senhor, que és fiel em teu amor, guia-me pelos caminhos da vida para que eu seja sempre fiel a ti e à promessa de seguir os teus passos. Amém.

15 Março

Hoje: *Dia da Escola e dia Mundial dos Direitos do Consumidor.*

Santos do dia: *Longuinho / Luísa de Marillac / Leocrécia / Clemente Maria Hoffbauer.*

Humilde não é aquele pobre coitado, nem tampouco o "bonzinho" que vive calado sem se manifestar ou acatando tudo que lhe impõem, mas sim aquele que trabalha, que cumpre com seus deveres sem pensar que está fazendo favores, reconhecendo que a grandiosidade dos ensinamentos de Deus se constitui em um tesouro que nos enriquece interiormente.

José Renato Sindorf

Glorioso São Longuinho, ajuda-nos a ter Jesus no centro de nossas vidas, acolhendo as pessoas que precisam de nossa ajuda e solidariedade. Amém.

Santos do dia: *Taciano / Carlos Garnier / Antônio Daniel / Bv. Brochero.*

16 Março

"Qual é o animal que bebe na fonte mais agitada?"

A esta pergunta feita, o sábio responde: "O peixe que bebe a água do mar".

E a criança retruca: "Não, é a mosca que suga o sangue humano!"

O pequeno tem razão. É nas artérias do ser humano que circula a mais viva das seivas. O coração humano é mais agitado que o oceano, por causa das paixões que o minam e chicoteiam sem tréguas. Pouco descansa, sempre teimando por desejos ilimitados que, entretanto, nenhum bem terrestre é capaz de saciar plenamente. Só na torrente infinita de luz e de vida divina pode estancar sua sede de felicidade.

Lucas

Pai, faz de mim um mensageiro do teu amor, leal aos teus ensinamentos e à tua vontade, fiel diante do mundo e dos irmãos. Amém.

17 Março

Santos do dia: *Patrício / José de Arimateia / Paulo de Constantinopla.*

É desalentador ouvir dizer a todo instante: faça isso, faça aquilo. Eu sei que de fato não tenho capacidade.

Mas Deus diz: minha graça e minha presença são tua força e tua dignidade.

E descubro com alegria que sou mais capaz do que acreditava.

François Arnold et al.

Senhor, o medo muitas vezes me paralisa sem que eu o perceba. Infunde em mim a coragem que vem da fé para que eu vença todo medo. Amém.

18 Março

Santos do dia: *Cirilo de Jerusalém / Cristiano / Narciso.*

Nossa vida é feita de conversões e reconversões; essas partidas e essas voltas não foram poupadas nem aos fiéis, nem aos maiores santos. Todos nós percorremos esse itinerário: da companhia do Espírito para a solidão, e da solidão para a companhia do Espírito. E é somente a partir do momento em que "nascemos de novo", quando reencontramos em nós a centelha espiritual, que voltamos a achar a felicidade. Essa luz interior nos guia em todos os planos, seja no plano de nossas necessidades mais imediatas, como no de nossas mais altas aspirações.

Marcelle Auclair

Senhor, quando nos sentirmos sós, faz-nos sentir a tua presença, consolando nosso coração e abrandando o medo. Amém.

19 Março

Hoje: *São José (celebração móvel). Dia Nacional do Artesão e dia do Consertador e do Carpinteiro.*

Santos do dia: *Quintila / Apolônio.*

Os justos são maiores que os anjos

O Novo Testamento louva José, o marido de Maria, e diz que ele é justo. "José, o marido dela, que era justo e não queria repudiá-la, decidiu separar-se dela em silêncio total" (Mt 1,19). José reúne justiça e misericórdia. Ele não persiste no cumprimento dos mandamentos. Ele está mais preocupado em fazer justiça às pessoas. Ele não queria prejudicar e envergonhar a sua noiva grávida. É evidente que a justiça é a condição para que a convivência tenha sucesso. O filósofo grego Platão já louvava a justiça. Para ele, ela era a virtude central. Ela consiste em que o ser humano faça justiça às capacidades de sua alma, que ele alcance um bom equilíbrio entre os diferentes domínios de sua alma.

Anselm Grün

São José, patrono dos lares cristãos, protege o meu lar e ajuda-me a zelar pela paz e justiça no seio da minha família. Amém.

20 Março

Santos do dia: *Martinho de Braga / Teodósio / Alexandra.*

Quando a humildade nos liberta do apego às nossas próprias obras e à nossa reputação, descobrimos que só pode haver perfeita alegria quando vivemos inteiramente esquecidos de nós mesmos. E é só quando não damos mais atenção às nossas ações, à nossa reputação e à nossa própria excelência, que nos achamos inteiramente livres para servir a Deus com perfeição e unicamente por Ele.

Thomas Merton

Pai, cada estação do ano tem beleza e utilidade; ajuda-nos a olhar o outono que chega como estação do recolhimento e renovação da vida. Amém.

21 Março

Hoje: *Dia Internacional para a Eliminação da Discriminação Racial e dia Florestal Mundial.*

Santos do dia: *Nicolau de Flue / Santúcia / Lupicínio / Berilo.*

Na oração

Na oração limpa-se a alma dos pecados, aumenta-se a caridade, certifica-se a fé, fortifica-se o coração, descobre-se a verdade, vence-se a tentação, afugenta-se a tristeza, despede-se a tibieza, repara-se a virtude vacilante. A oração nos abre a porta do céu. À oração estão dia e noite atentos os ouvidos do Senhor.

São Lourenço Justiniano

Senhor, dá-me um coração compassivo, que me torne capaz de compadecer-me do próximo caído à beira das estradas da vida. Amém.

22 Março

Hoje: *Dia Mundial da Água.*

Santos do dia: *Otaviano / Leia / Deográcias.*

Vigiemos e oremos. Primeiro, por amor de Jesus; depois por obediência, visto que Ele no-lo ordena. E também para não cairmos em tentação. Pois a vigília destrói muitas tentações, fatiga o corpo e torna-o obediente ao espírito, dá-nos mais tempo do que teríamos sem ela para rezar, adorar, contemplar... A oração é o principal remédio contra todas as tentações, remédio preventivo porque dificulta o aparecimento delas, remédio, enquanto duram, para as expulsar, remédio, depois de as termos sofrido, para apagar os vestígios que deixam as recordações, e para nos confirmar nas boas resoluções, na união com Deus, no amor de Deus...

Bv. Charles de Foucauld

Senhor, obrigado pela água que nos lava e mata a nossa sede, que nos dá vida. Obrigado pelas chuvas que molham a terra. Amém.

23 Março

Hoje: *Dia Mundial da Meteorologia.*

Santos do dia: *Turíbio de Mogrovejo / Fidélis / Domício / Rebeca (Rafka).*

Não recuse ajuda a quem precisar. Um prato de comida, um cobertor, um remédio, um aperto de mão, um abraço. Não acredite no Deus ideia, mas no Deus pessoa – Deus está aí: perto de você. Cada pessoa que cruzar com você é Deus que cruza com você. Pare, escute, ame.

Frei Patrício Sciadini, OCD

Senhor, peço que me faças viver a solidariedade para com os irmãos, em todas as circunstâncias, em todas as horas e em qualquer lugar. Amém.

Hoje: *Dia Mundial de Combate à Tuberculose.*

Santos do dia: *Diogo José de Cádiz / Catarina da Suécia / Bv. Oscar Romero.*

24 Março

Alegria de servir

Toda a natureza é um serviço: serve a nuvem; serve o vento; serve a chuva. Onde haja uma árvore para plantar, plante-a você. Onde haja um erro para corrigir, corrija-o você. Onde haja um trabalho e todos se esquivam, aceite-o você. É muito belo fazer aquilo que os outros recusam. Mas não caia no erro de que somente há mérito nos grandes trabalhos. Há pequenos serviços que são bons serviços: adornar uma mesa, arrumar seus livros, pentear uma criança. Uns criticam, outros destroem. Seja você o que serve. Servir não é trabalho de seres inferiores. Seja você o que remove a pedra do caminho, o ódio entre corações e as dificuldades do problema. Há a alegria de ser puro e a de ser justo. Mas há, sobretudo, a maravilhosa, a imensa alegria de servir.

Gabriela Mistral

Senhor, não permita que eu fique indiferente ao teu Amor, mas desperta em meu coração a gratidão que me leva a seguir teu mandamento. Amém.

25 Março

Hoje: *Anunciação do Senhor (celebração móvel).*
Santos do dia: *Lúcia / Desidério / Quirino.*

Maria é a Mãe da Igreja, porque, em virtude da inefável eleição do mesmo Pai Eterno e sob a particular ação do Espírito Santo de amor, ela deu a vida humana ao Filho de Deus, do "qual procedem todas as coisas e para o qual vão todas as coisas" (cf. Hb 2,10).

E, em seguida, todas as gerações de discípulos e de quantos confessam e amam Cristo à semelhança do Apóstolo João – acolheram espiritualmente em casa esta Mãe... que, a partir do momento da Anunciação, foi inserida na história da salvação e na missão da Igreja... A Igreja a olha com amor e esperança muito particular... Mediante a sua maternal presença, a Igreja ganha a certeza de que vive verdadeiramente a vida de seu Mestre e Senhor.

Frei Wenceslau Scheper, OFM

Ó Maria, Mãe de infinita graça, que acolheste com amor a missão que o Pai te confiou, ajuda-nos a sermos fiéis ao Pai, hoje e sempre. Amém.

26 Março

Hoje: *Dia do Cacau e dia do Mercosul.*
Santos do dia: *Bráulio / Emanuel / Marciano.*

A tentação da dúvida põe à prova a confiança em Deus. Ela pode purificar como se purifica o ouro pelo fogo. Pode, outrossim, encher a criatura humana como no fundo de um poço. Mas uma luz sempre virá de cima. Total, a noite jamais será. Ela nunca invade a pessoa em sua totalidade. Até dentro dessas trevas, Deus está presente. Escavado dentro de si mesmo pela provação da dúvida, aquele que quer viver o Evangelho deixa-se procriar dia após dia pela confiança de Deus. Com isso, a vida recupera um sentido.

Irmão Roger de Taizé

Jesus, ajuda-me a cada passo dado permanecer firme na decisão de seguir-te, sejam quais forem os obstáculos que encontrar no caminho. Amém.

27 Março

Hoje: *Dia Mundial do Circo e dia Mundial do Teatro.*

Santos do dia: *Guilherme Tempier / Lídia / Lázaro da Pérsia.*

As nossas feridas

Quando nossas feridas deixam de ser uma fonte de vergonha e passam a uma fonte de cura, tornamo-nos pessoas feridas que curam. Jesus é o enviado de Deus que, mesmo ferido, cura. Por meio de suas feridas somos curados. O sofrimento e a morte de Jesus trouxeram alegria e vida. Sua humilhação trouxe glória; sua rejeição, uma comunidade de amor. Como seguidores de Jesus, também podemos permitir que as nossas feridas tragam a cura aos outros.

Henri Nouwen

Jesus, não permita que a dor e o sofrimento me façam duvidar do amor do Pai; ao contrário, que no Senhor eu encontre a minha consolação. Amém.

Hoje: *Dia do Diagramador e dia do Revisor.*

Santos do dia: *Gontrão / Malco / Castor.*

28 Março

O Pai-nosso

O Pai-nosso, oração perfeita e completa, resume todos os ensinamentos de Jesus. De certa forma, essa oração parece conter em si todas as demais, sejam elas de louvor, de súplica ou de agradecimento. A mais bela das orações nos incita à simplicidade e à intimidade com Deus, nos ensina a pedir somente o essencial e nos encaminha para um bom relacionamento com os irmãos. Somente orando dessa maneira poderemos nos colocar a serviço do Reino que suplicamos: *venha a nós*.

Pe. Luiz Carlos do Nascimento

Jesus, que eu não seja indiferente às necessidades dos irmãos, mas saiba acolher com amor todos aqueles que precisarem do meu consolo. Amém.

29 Março

Santos do dia: *Jonas / Eustácio / Secundo.*

Se formos honestos conosco, encontraremos alguma coisa que nos aprisiona numa espécie de escravidão – mesmo se inicialmente não vejamos assim. Podemos estar escravizados por comida, café, drogas, compras, álcool, ocupações, jogos, televisão e inúmeras outras coisas. Todas elas têm poder sobre nós, embora nos orgulhemos de sermos "livres". A opção de abrir mão dessa escravidão significaria nos libertarmos da grande carga de estresse a que ela nos induz. Estarmos libertos das suas garras também apagaria parte das preocupações emocionais e aflições que carregamos na vida.

Joan Guntzelman

Ó Jesus, vem em nosso auxílio para que enfrentemos os poderes que nos escravizam, dando-nos confiança para vivermos em paz. Amém.

Santos do dia: *Régulo / Donino / João Clímaco.*

30 Março

Confesso-me a um homem, não como a um homem, mas como a Deus. O Sacramento da Penitência é chamado de "Casa de Deus", porque os pecadores se reconciliam com Deus, como o filho pródigo se reconcilia com o pai, que acolhe novamente em casa. É também chamado de "porta do paraíso", porque através da confissão o penitente é chamado a beijar os pés, as mãos e a face do Pai celeste.

Santo Antônio de Pádua

Senhor Jesus, faze com que a ganância pelas riquezas terrenas não nos aprisione nem nos afaste de ti que és nosso maior bem. Amém.

Santos do dia: *Balbina / Benjamim / Cornélia.*

Assumindo responsabilidades

Uma pessoa adulta é aquela que olha para o futuro e reflete perguntando-se a respeito das consequências de suas ações tanto para si mesma como para o resto do mundo. Esta é uma forma extrema de responsabilidade. Antes de tudo, trata-se de assumir a responsabilidade pela própria vida.

Há jovens, no entanto, que não estão preparados para isso. Quando não conseguem realizar nada de significativo em suas vidas, acusam seus pais de serem culpados por isso. Ou, então, responsabilizam a escola, os professores, os instrutores, as empresas, a Igreja e a sociedade de terem falhado ao não lhes franquearem o caminho para uma vida independente. Em lugar de assumir sua responsabilidade, preferem ficar no banco dos acusadores.

Responsabilidade significa, antes de tudo, desenvolver a própria vida. Não posso escolher o meu passado. Ele me é previamente oferecido. Mas o modo como eu respondo a ele é algo que depende de minha decisão. Sou responsável por isso.

Anselm Grün

Meu Jesus, perdoa meus pequenos nãos para que eu seja digno do teu amor e misericórdia. Amém.

Abril

1 Abril

Hoje: *Dia do Trote.*

Santos do dia: *Teodora / Hugo de Grenoble / Ludovico Pavoni.*

O Cristo escolheu a morte de Cruz, porque a cruz é o sinal mais eloquente. No alto dela o Salvador é amplamente visto e olha para baixo igualmente, para toda a humanidade. Os braços estendidos: Vinde a mim, todos... A cabeça inclinada: obediência ao Pai. O sangue que escorre: ninguém tem amor maior.

Edith Stein

Meu Jesus Amado, que o penhor da tua dor não seja em vão, mas nos faça viver como irmãos, sem egoísmo ou inveja, na perfeita comunhão. Amém.

2 Abril

Hoje: *Dia Internacional do Livro Infantojuvenil e dia Mundial de Conscientização do Autismo.*

Santos do dia: *Francisco de Paula / Leopoldo de Gaiche / Maria do Egito.*

Quem somos nós, realmente

Por acaso vi ontem com clareza na TV que uma famosa mulher balançava seus quadris e dizia sempre sim a frenéticas canções. Ser igual a ela? Não! Ler o livro do Dalai-Lama sobre autoconhecimento para então saber o que se deseja fazer da própria vida? Talvez! Cuidar, de vez em quando, das próprias necessidades e descobrir seus talentos, não seria o melhor caminho para encontrar-se a si próprio? Sim! Senhor, permite-nos conhecer quem nós somos realmente.

Katharina Oster

Pai, que a Eucaristia desperte em nós o amor-caridade e nos conduza ao encontro dos irmãos mais necessitados de nós. Amém.

3 Abril

Santos do dia: *Irene / Sisto I / Gandolfo de Binasco.*

A cruz

A cruz é a esperança para os cristãos. A cruz é a ressurreição dos mortos. A cruz é o caminho para os desviados. A cruz é a salvação para os perdidos. A cruz é a bengala para os coxos. A cruz é a condutora dos cegos. A cruz é a força dos fracos. A cruz é o remédio para os doentes. A cruz é a meta do sacerdote. A cruz é a esperança dos desesperançados. A cruz é a liberdade para os escravos. A cruz é a água para a semente. A cruz é o consolo para os servos. A cruz é a fonte para os que buscam as águas. A cruz é o manto para os desnudos. Damos-te graças, Pai, pela cruz.

Canção africana do século X

Jesus, que mesmo diante da morte permaneceste na certeza da ressurreição, desperta em nós a mesma confiança e plena esperança em Deus. Amém.

Santos do dia: *Isidoro de Sevilha / Platão, monge / Pedro de Poitiers.*

4 Abril

Ensina-me a cumprir a tua vontade

Não podes rezar o Pai-nosso sem sentir um grande desejo de cumprir a vontade de Deus. Mas tens medo de que Deus te peça demais. Sentes-te fraco, sem forças para seguir seus caminhos. Procura escutar Deus no fundo da alma. Confia nele: *Dá-me entendimento para que eu observe tua lei e a guarde de todo coração. Encaminha-me na senda de teus mandamentos* (Salmo 119).

Não desanimes nunca por causa de teus erros e pecados. Deus conhece tua fragilidade. Ele te ama tal como és.

José Antonio Pagola

Senhor, que a tua luz brilhe em nossos corações e ilumine nossos caminhos, afastando-nos das trevas do pecado. Amém.

5 Abril

Santos do dia: *Vicente Ferrer / Catarina Tomás / Zeno / Bv. Mariano de La Mata Aparício.*

Os meus irmãos têm cada qual sua característica: uns são arrogantes, uns muito simples; uns de poucas palavras, outros falantes; uns introvertidos, outros extrovertidos; com alguns tem-se muita afinidade, com outros quase nenhuma. Mas todos somos irmãos. E é graças a estes irmãos, cada qual com sua característica, que cada um de nós tem a oportunidade de aprimorar os sentimentos, de conhecer a si próprio e se questionar a respeito do que somos realmente, ou a que distância estamos de sermos capazes de reconhecer a todos como eles realmente o são, alegrando-nos com suas ascendências e nos entristecendo com suas decadências. Seja ele quem for, será seu irmão, seu semelhante. E será através dele que você irá ter a oportunidade de mostrar quem você é, por intermédio de suas atitudes.

José Renato Sindorf

Deus Pai todo-poderoso, agradecemos por teu amor incondicional. Dá-nos fé e esperança para sermos instrumentos de teu amor. Amém.

6 Abril

Santos do dia: *Celestino / Catarina de Pallanza / Diógenes.*

Cristo morreu e ressuscitou de uma vez para sempre e para todos, mas a força da Ressurreição, esta passagem da escravidão do mal à liberdade do bem, deve realizar-se em todos os tempos, nos espaços concretos da nossa existência, na nossa vida de cada dia. Quantos desertos têm o ser humano de atravessar ainda hoje! Sobretudo o deserto que existe dentro dele, quando falta o amor a Deus e ao próximo, quando falta a consciência de ser guardião de tudo o que o Criador nos deu e continua a dar. Mas a misericórdia de Deus pode fazer florir mesmo a terra mais árida, pode devolver a vida aos ossos ressequidos (cf. Ez 37,1-14).

Papa Francisco

Senhor, a alegria invade nosso coração diante da tua presença. Abre nossos lábios para que possamos anunciar a Boa-nova com júbilo. Amém.

7 Abril

Hoje: *Dia Mundial da Saúde e dia Nacional do Jornalista.*

Santos do dia: *João Batista de La Salle / Ursulina / Guilherme de Scicli.*

Estar são, de corpo e de mente, implica estar de bem com a vida. Afinal, cada um tem a saúde que sente! Mas, para nos sentirmos assim, de bem com a existência, necessitamos também de uma sociedade justa, sem desigualdades e violências e ainda de um meio ambiente devidamente preservado. Acrescente-se a tudo isso a capacidade de confiar em Deus, de amar os semelhantes, de trabalhar construtivamente e de saber dar sentido à dor, ao sofrimento. Difícil? Sim! Impossível? Não!

Pe. Luiz Carlos do Nascimento

Senhor, que ninguém sofra com doenças graves, que inviabilizam a vida plena. Cura os que estão doentes e fortalece os que estão sãos. Amém.

8 Abril

Hoje: *Dia Mundial da Luta contra o Câncer, dia Mundial da Astronomia e dia da Natação.*

Santos do dia: *Edésio / Máxima / Valter de Pontoise.*

Se somos filhos de Deus, também somos "herdeiros", co-herdeiros com Cristo, nosso irmão. O herdeiro é aquele que tem direito aos bens de seu pai. Aquele que tem a plenitude da vida cristã não é mais um cachorro que come as migalhas debaixo da mesa do pai, mas um filho que senta à mesa com o pai e com ele se banqueteia. Este é precisamente o quinhão do cristão maduro, pois pela Ressurreição de Cristo, como diz São Paulo, "Deus nos fez sentar com Ele nos céus" (Ef 2,6).

Thomas Merton

Jesus, perdoa-nos pelas tantas vezes que caminhas a nosso lado e não o reconhecemos; abre nossos olhos para enxergarmos tua presença. Amém.

9 Abril

Hoje: *Dia Nacional do Aço.*

Santos do dia: *Maria de Cléofas / Acácio / Demétrio.*

Jesus é o Messias esperado, o ungido, o mais santo dentre os santos. Posso confiar na palavra dele porque Ele não engana. Nossa Igreja o chama de Jesus Cristo, que significa: "o ungido". Creio que Jesus foi verdadeiro homem, mas, mais que isso: tinha o poder de Deus, porque Deus lhe dera todo o poder. Assim mesmo ele aceitou o mistério de morrer, vencendo a morte e ressuscitando (Mt 28,18).

Pe. Zezinho, SCJ

Senhor Jesus, pedimos que tua paz inunde os corações de todos nós para que, vivendo no teu amor, sejamos dele testemunhas no mundo. Amém.

10 Abril

Santos do dia: *Miguel dos Santos / Ezequiel / Pompeu.*

A atitude de Jesus diante de Deus é a daquele que fala a partir da confiança, do afeto e da ternura de uma criança pequena. Mas Jesus não reserva exclusivamente para si esta invocação de Deus como Pai querido. Ele ensina e convida seus discípulos a que também eles o invoquem com a mesma confiança e segurança. "Ao entregar o Pai-nosso aos discípulos, Jesus lhes transmitiu o poder de dizer como Ele: *Abba*. Isto significa que os fazia participar de sua relação com Deus".

José Antonio Pagola

Senhor, faz com que sempre possamos reconhecer a tua presença no meio de nós e viver retamente fazendo a tua vontade em toda parte. Amém.

11 Abril

Santos do dia: *Estanislau / Gema Galgani / Isaac.*

Todos somos chamados a testemunhar e anunciar a mensagem de que "Deus é amor", que Deus não está distante ou insensível aos acontecimentos humanos. Ele está próximo, está sempre ao nosso lado, caminha conosco para partilhar as nossas alegrias e as nossas dores, as nossas esperanças e os nossos cansaços. Ama-nos tanto a ponto que se fez homem, veio ao mundo não para julgá-lo, mas para que o mundo seja salvo por meio de Jesus (cf. Jo 3,16-17). E este é o amor de Deus em Jesus, este amor que é tão difícil de entender, mas que nós sentimos quando nos aproximamos de Jesus. E Ele nos perdoa sempre, Ele nos espera sempre, Ele nos ama tanto. E o amor de Jesus que nós sentimos é o amor de Deus.

Papa Francisco

Senhor, ilumina nosso coração e abre nossos olhos e ouvidos para que, testemunhando tua presença, anunciemos ao mundo teu Evangelho. Amém.

Hoje: *Dia do Humorista.*
Santos do dia: *Júlio I / Sabas Godo / Ângelo de Chivasso.*

12 Abril

Verdade e misericórdia se encontraram

Verdade e misericórdia se encontraram na obra da redenção e em Deus tornam-se um. O horror do pecado e o poder das trevas foram desvendados no sofrimento e na morte de Jesus. Misericórdia é para que nós não pereçamos, mas que sejamos curados por suas feridas; por seu abandono, sejamos conduzidos ao Pai; por sua morte, recebamos a vida. Assim, a verdade tornou-se misericordiosa e a misericórdia verdadeira.

Edith Stein

Senhor, faz com que, na vida cotidiana, ao entrar por caminhos tortos, eu saiba retornar para ti em busca do teu perdão e misericórdia. Amém.

13 Abril

Hoje: *Dia do Hino Nacional Brasileiro.*

Santos do dia: *Nossa Senhora da Penha / Martinho I / Márcio / Quintiliano.*

A primeira comunidade dos cristãos

Eles frequentavam com perseverança a doutrina dos apóstolos, as reuniões em comum, o partir do pão e as orações. De todos apoderou-se o medo à vista dos muitos prodígios e sinais que os apóstolos faziam. E todos que tinham fé viviam unidos, tendo todos os bens em comum. Vendiam as propriedades e os bens e dividiam o dinheiro com todos, segundo a necessidade de cada um. Todos os dias se reuniam, unânimes, no Templo. Partiam o pão nas casas e comiam com alegria e simplicidade de coração. Louvavam a Deus e gozavam da simpatia de todo o povo. Cada dia o Senhor lhes ajuntava outros a caminho da salvação.

At 2,42-47

Senhor, tua promessa de salvação é para todos; faze que saibamos anunciar a tua Boa-nova a todos os povos, vivendo sempre no teu amor. Amém.

14 Abril

Hoje: *Dia do Pan-Americanismo e dia Mundial do Café.*

Santos do dia: *Lamberto / Donina / Próculo.*

Na arte de viver, o importante não é acertar sempre (desejo este, muitas vezes, farisaico, de trágicas consequências), mas estar sempre disposto a retomar o caminho da casa do bem ou do mar dos grandes sonhos. A vida pode ser frágil e a graça de viver, tumultuada, mas são um mistério do qual Deus está encantado. Deus está apaixonado pela vida. Ele mesmo se confessou "o grande amigo da vida" (Sb 11,26) e jurou nunca aborrecer-se com ela. Por que então não viver também nas águas deste fascínio, no sonho de encontrar em seu abraço grande e misterioso, rico e interrogante, a transfiguração do próprio eu e a plenitude do próprio destino?

Frei Neylor J. Tonin, OFM

Senhor Jesus, que padeceste na cruz pela humanidade, faça ressurgir em mim uma nova pessoa. Compadece-te dos aflitos e sem esperança. Amém.

15 Abril

Hoje: *Dia do Desenhista e dia da Conservação do Solo.*

Santos do dia: *Anastácia / Êutiques / Vitoriano.*

O que Deus quer de você no momento atual da sua vida? Não se trata de se perguntar sobre o que Ele quis de você no passado, mas o que Deus gostaria que você trabalhasse mais daqui para frente? Por onde Deus quer conduzir a sua vida? Lembre-se sempre que na vida não existe caminho feito, o caminho se faz ao caminhar.

Canísio Mayer

Senhor, não permita que outros decidam por mim o caminho a seguir, mas que eu seja responsável pelas minhas escolhas e pelo meu caminho. Amém.

Hoje: *Dia Mundial da Voz.*

Santos do dia: *Bernadette Soubirous / Calisto de Corinto / Júlia / Marçal.*

16 Abril

Quando procuramos a felicidade, muitas vezes cometemos um erro de cálculo, porque não dimensionamos bem o que é ser feliz. Somos acostumados a relacionar a ideia de felicidade a um acontecimento extraordinário, mas isso não é regra geral. Na ilusória espera de um grande acontecimento que nos levaria ao êxtase perdemos grandes oportunidades de sermos felizes. Como diz a canção popular que todos nós conhecemos: "...eu era feliz e não sabia", quantas coisas nos poderiam fazer felizes e nem perceberíamos se não nos dispuséssemos a vivenciar com lucidez nosso tempo. Ser feliz é questão de determinação. Só o seremos se para isso nos esforçarmos. Felicidade é questão de busca e coragem e, principalmente, humildade.

Maria Augusta Christo de Gouvêa

Jesus, em ti confio e sei que estás presente em minha vida. Alcance-me a paz, a alegria e a resignação a tua vontade. Amém.

17 Abril

Hoje: *Dia Mundial do Portador de Hemofilia.*
Santos do dia: *Aniceto / Roberto, abade / Hermógenes.*

Quem conhece o caminho nunca está perdido, quem se conhece sabe onde pode chegar. Quando a pessoa se ajuda, mesmo que esteja doente, consegue superar barreiras aparentemente intransponíveis. Isto porque a força que temos em nós nos permite vencer desafios. Mas ela ganha o impulso que temos em nosso querer, isto é, quando somos pessimistas ela nos joga mais para baixo, fazendo ver fantasmas onde não existem, mas quando somos otimistas ela nos impulsiona para conquistas cada vez maiores. Conheça melhor esta pessoa formidável que é você.

José Irineu Nenevê

Bom Jesus, olha para as pessoas deprimidas. Ilumina-as com teu Espírito, que a tua proteção as faça reviver a esperança em ti. Amém.

18 Abril

Hoje: *Dia Nacional do Livro Infantil.*
Santos do dia: *Faustino / Maria da Encarnação / Galdino.*

Sejamos um com Jesus! Reproduzamos sua vida na nossa... Clamemos sua doutrina sobre os tetos por nossos pensamentos, palavras e ações. Que Ele reine em nós, viva em nós! Não penetra em nós tão frequentemente na santa Eucaristia? Que estabeleça em nós o seu Reino! Se nos concede alegrias, aceitemos com gratidão! O bom Pastor nos fornece ervas tenras para nos fortificar, tornar-nos capazes de segui-lo depois por caminhos áridos... Se nos dá cruzes, beijemo-las. É a graça das graças. É avançar como nunca com a mão na mão de Jesus, é aliviá-lo carregando sua cruz como Simão, o cireneu. É nosso bem-amado convidando-nos a lhe declarar e provar nosso amor...

Bv. Charles de Foucauld

Faze com que o amor que vem de ti, Senhor, torne-nos pessoas melhores e nos faça seguir sempre o caminho de luz. Amém.

19 Abril

Hoje: *Dia do Índio e dia do Exército.*
Santos do dia: *Expedito / Sócrates / Gálata.*

Para encontrar a vida, temos de morrer para a vida que conhecemos. Para encontrar o sentido, temos de morrer para o sentido que conhecemos. O sol desponta a cada manhã, e nós estamos acostumados a isso; e porque sabemos que o sol vai despontar, acabamos agindo como se ele surgisse por nossa vontade. Suponhamos que o sol resolva não aparecer. Algumas de nossas manhãs seriam então "absurdas" ou, para usar palavras mais amenas, não satisfariam as nossas expectativas.

Thomas Merton

Senhor, pedimos que teu amor permaneça sempre em nossa vida e que nossas atitudes sejam renovadas no espírito da ressurreição. Amém.

20 Abril

Hoje: *Dia do Diplomata.*
Santos do dia: *Antonino / Marcelino de Embrun / Sulpício.*

Observar a Lei é multiplicar as oferendas; sacrifício de comunhão é atender aos mandamentos. Praticar a caridade é como oferecer flor de farinha; dar esmola é oferecer um sacrifício de louvor. Afastar-se do mal, eis o que agrada ao Senhor; o sacrifício de expiação é apartar-se da injustiça. Não te apresentes diante do Senhor de mãos vazias, pois todos esses sacrifícios lhe são devidos por seu mandamento. A oferenda do justo enriquece o altar, e seu perfume se eleva até o Altíssimo. O sacrifício do justo é bem-aceito, e seu memorial não será esquecido.

Eclo 35,1-9

Senhor, transforma minha vida. Ensina-me a ter fé e a agir de acordo com seus mandamentos. Amém.

21 Abril

Hoje: *Dia de Tiradentes, dia do Metalúrgico, dia da Latinidade e dia do Policial Civil e Militar. Feriado nacional.*

Santos do dia: *Anselmo / Conrado de Parzão / Sílvio.*

A grandeza de saber escutar a voz de Deus e a voz de seu povo traz uma força ímpar para cada ser humano. Não são duas vozes, mas algo que quer ser um encontro, uma sinfonia: um mesmo projeto de vida vivido na esperança. Portanto, os mandamentos são ao mesmo tempo um fim – "amar a Deus sobre todas as coisas e o próximo como a ti mesmo" – como um meio, uma referência importante para que cada peregrino e o povo de Deus possam caminhar na paz, no amor e na justiça.

Canísio Mayer

Senhor, não permita que o medo me impeça de caminhar ao teu encontro com disponibilidade e disposição para que eu possa te servir. Amém.

22 Abril

Hoje: *Dia do Descobrimento do Brasil, dia Internacional da Terra, dia da Comunidade Luso-Brasileira e dia da Aviação de Caça.*

Santos do dia: *Bartolomeu de Cervere / Sotero / Miles.*

Tudo entre eles era comum

A multidão dos fiéis era um só coração e uma só alma. Ninguém considerava propriedade sua o que possuía. Tudo entre eles era comum. Com grande eficácia os apóstolos davam testemunho da ressurreição do Senhor Jesus e todos os fiéis gozavam de grande estima. Não havia necessitados entre eles. Os proprietários de campos ou casas vendiam tudo e iam depositar o preço da venda aos pés dos apóstolos. Repartia-se, então, a cada um segundo sua necessidade.

At 4,32-35

Pai, criaste a terra para ser nossa morada. Ajuda-nos a compreender que não somos donos do mundo, apenas guardiões do paraíso que criaste. Amém.

23 Abril

Hoje: *Dia Mundial do Livro e do Direito Autoral, dia Mundial do Escoteiro e dia Nacional do Choro.*

Santos do dia: *Jorge / Adalberto de Praga / Bv. Egídio de Assis.*

Uma arma do amor

Jesus chamou de abençoados aqueles que fomentam a paz, que a estabelecem. Não se trata apenas de pessoas que têm a paz em si, mas de pessoas que estão dispostas a criar a paz para as pessoas em torno dela. Estabelecer a paz entre os seres humanos é uma arte. Porém, estabelecer a paz requer, ao mesmo tempo, uma boa quantidade de trabalho. Essa arte exige que falemos com as pessoas, saibamos ouvir o que elas realmente querem e que encontremos um caminho para que elas possam conversar e chegar a um acordo.

Anselm Grün

São Jorge, valente guerreiro, ajuda-me a derrotar os dragões do orgulho e do egoísmo em minha vida e vencer os desafios do dia a dia. Amém.

Hoje: *Dia Internacional do Jovem Trabalhador e dia do Operador de Triagem e Transbordo.*

Santos do dia: *Fidélis de Sigmaringa / Maria Eufrásia / Honório.*

24 Abril

O Deus que é Pai

Nós cristãos entendemos a paternidade de Deus em relação a Jesus, que é conhecido como Filho. A linguagem da Bíblia não se refere a uma paternidade biológica, mas à atitude solícita e amorosa que Ele dispensa às pessoas e à criação. Jesus é que nos ensina a dirigir a Deus como Pai nosso.

Regina Helena Mantovani

Pai, livra-me da preguiça que me impede de agir em qualquer direção e sob toda circunstância; que eu não me deixe paralisar por ela. Amém.

25 Abril

Hoje: *Dia da Contabilidade.*

Santos do dia: *Marcos, evangelista / Calista / Evódio.*

Deus não é mágico, mas Alguém que se revela na história de cada pessoa e na história da humanidade. Não só se revela, mas revela os seus desejos e sonhos para com cada pessoa. Chama, convoca, acompanha, faz ver, é fiel, amigo e leva à verdade... compromete. É fundamental lançar um olhar justo sobre Jesus Cristo: Ele não veio, em primeiro lugar, para revelar mandamentos, obrigações, leis, regras, mas se fez *um de nós* para revelar o coração do Pai do Céu. Essa afirmação é fundamental para se compreender o sentido de ser discípulo do Mestre em qualquer estado de vida.

Canísio Mayer

Jesus, Bom Pastor, ajuda-me a "chorar com os que choram e a alegrar-me com os que se alegram", solidarizando-me com meus semelhantes. Amém.

Hoje: *Dia Nacional de Prevenção e Combate à Hipertensão.*

Santos do dia: *Clarêncio / Lucídio / Exuperância.*

26 Abril

Gerar discípulos de Cristo não é o mesmo que fazer pessoas aderirem a um conjunto de doutrinas, ou de normas morais, ou mesmo de práticas religiosas espirituais! Ser discípulo de Cristo significa acolher e aderir a sua pessoa. "Jesus escolheu [os seus discípulos] para 'que estivessem com Ele e para enviá-los a pregar' (Mc 3,14), para que o seguissem com a finalidade de 'ser dele' e fazer parte 'dos seus' e participar de sua missão. O discípulo experimenta que a vinculação íntima com Jesus no grupo dos seus é participação da Vida saída das entranhas do Pai, é se formar para assumir seu estilo de vida e suas motivações (cf. Lc 6,40b), viver seu destino e assumir sua missão de fazer novas todas as coisas" (Documento de Aparecida 131).

Pe. Alexsander Cordeiro Lopes

Pai, dá-nos sabedoria para irradiar a tua luz. Ensina-nos a ser "o sal da terra", influenciando as pessoas a te seguirem. Amém.

27 Abril

Hoje: *Dia da Empregada Doméstica e dia do Engraxate.*

Santos do dia: *Zita / Tertuliano / João, abade.*

Quando andamos em círculos não chegamos a lugar algum. O veneno das serpentes sempre foi mortal ao ser humano, até que alguém analisou e extraiu uma lição para o futuro, criou o soro antiofídico, isto é, os efeitos nocivos serviram de base para uma descoberta que ajuda a humanidade até hoje. Às vezes, enfrentamos momentos difíceis, quer seja em nossa vida pessoal, quer na profissional. Nossa primeira atitude é nos sentirmos vítimas, e quanto mais "nos afogamos em lágrimas", mais ficamos presos a esta situação. Atitude inteligente é buscar aí uma saída, que, se não reverter o quadro, pelo menos nos ajudará a evitar cair novamente.

José Irineu Nenevê

Jesus, que eu jamais abandone a missão que me deste, mas siga em frente sempre mais perseverante quanto maiores forem os obstáculos. Amém.

28 Abril

Hoje: *Dia da Educação, dia Nacional da Caatinga, dia do Cartão Postal, dia da Sogra, dia Mundial em Memória às Vítimas de Acidentes do Trabalho e dia Mundial do Sorriso.*

Santos do dia: *Pedro Chanel / Luís Maria Grignion de Montfort / Valéria.*

A doença do Ocidente

Atualmente, a doença mais terrível do Ocidente não é a tuberculose nem a lepra; é sentirmo-nos indesejados, não amados, abandonados. Sabemos tratar as doenças do corpo pela medicina, mas o único remédio para a solidão, a angústia e o desespero é o amor. São muitas as pessoas que morrem por falta de um pedaço de pão, mas são muitas mais as que morrem por falta de um pouco de amor. A pobreza no Ocidente é outro tipo de pobreza: não é apenas pobreza de solidão, mas também de espiritualidade. Existe fome de amor como existe fome de Deus.

Santa Teresa de Calcutá

Ensina-nos a agradecer-te, Senhor, pelo nosso crescimento espiritual ao vencer toda e qualquer dificuldade, dando sempre "graças a Deus". Amém.

29 Abril

Santos do dia: *Catarina de Sena / Antônia / Pedro de Verona.*

Um joalheiro mostrava a um amigo, como uma das mais raras do mostruário, uma pedra embaciada e sem brilho. Em resposta ao sorriso incrédulo do interlocutor, o joalheiro tomou-a nas mãos, apertou-a um instante e depois a mostrou novamente. A pedra era de água rara, resplandecente de todas as cores do arco-íris. "É uma opala – disse – conhecedor que era –, uma pedra que se chama simática, porque necessita do calor da mão para brilhar".

Lucas

Pai Eterno, ajuda-nos a tratar bem as pessoas com quem tivemos desavenças. Em nome de Jesus. Amém.

30 Abril

Hoje: *Dia Nacional da Mulher e dia do Ferroviário.*

Santos do dia: *Pio V / Lourenço de Novara / Hildegarda / Sofia.*

A preguiça e a covardia colocam nosso próprio bem-estar atual em primeiro lugar, antes do amor de Deus. Temem a incerteza do futuro, porque não confiam em Deus. A discrição nos previne contra a dispersão de forças; para o covarde, porém, todo esforço é desperdício. A discrição nos mostra em que circunstâncias o esforço é desperdício e onde é obrigatório. A preguiça procura fugir de todo risco. A discrição evita o risco inútil, mas nos impele a assumir os riscos que a fé e a graça de Deus nos pedem.

Thomas Merton

Senhor Jesus, Tu que sofreste injustiças, olha pelas mulheres excluídas, humilhadas e que sofrem violência doméstica. Amém.

1 Maio

Hoje: *Dia do Trabalho e do Trabalhador. Feriado nacional.*

Santos do dia: *José Operário / Grata / Andéolo.*

Dia do Trabalho e do Trabalhador

O trabalho é inerente à condição humana, dignifica a pessoa e transforma a sociedade. Onde não há trabalho para todos a sociedade se desintegra e o ser humano perde sua referência, sua identidade. Nada é mais injusto do que impedir a pessoa de crescer e realizar-se por meio de atividade produtiva que lhe dê justa remuneração e permita uma vida digna. Esse é um direito inalienável da raça humana, pelo qual devemos lutar sempre. A pobreza e a miséria são consequências de um mundo injusto que nega o direito de trabalhar aos trabalhadores, tornando-os dependentes de assistencialismos iníquos.

Maria Aparecida de Cicco

Senhor Jesus, ilumina todos os que lutam em favor da justiça social. Ajuda-lhes a superarem os obstáculos para o alcance de suas metas. Amém.

2 Maio

Santos do dia: *Atanásio / Zoé / Germano.*

Para Maria somos atraídos por um impulso irresistível, e a ela confiamos, com filial abandono, todos os nossos cuidados: isto é, as alegrias e as dores... enfim, quando, no supremo perigo da morte, não achando mais em parte alguma esperança, a ela erguemos os olhos em lágrimas, pedindo fervorosamente, por seu intermédio, a seu Jesus, o perdão e a eterna felicidade.

Papa Pio XI

Pai, que meu dia transcorra na alegria de ser útil no meu trabalho, na minha família e em todo lugar onde eu puder ajudar. Amém.

3 Maio

Hoje: *Dia do Sertanejo, dia do Sol e dia Mundial da Liberdade de Imprensa.*

Santos do dia: *Filipe e Tiago Menor, apóstolos / Maura.*

A busca pela felicidade

A busca ininterrupta por satisfação traz apenas decepção. A preocupação com a saúde, a busca pela felicidade, o anseio pela alegria deve sempre acontecer na medida certa. E eu devo sempre contar com a possibilidade de encontrar, em minha busca pela saúde, a doença; em minha busca pela felicidade, a infelicidade; em minha busca pela alegria, a tristeza. Somente quando eu considero ambos os polos, a minha busca pela felicidade pode ter sucesso.

Anselm Grün

São Filipe e São Tiago, apóstolos de Cristo, que pelos teus exemplos saibamos seguir os passos de Jesus e anunciar o Evangelho. Amém.

Santos do dia: *Floriano / Pelágia / Gregório de Venucchio.*

4 Maio

Um louvor de glória: é uma alma que permanece em Deus, que o ama com um amor puro e desinteressado, sem buscar-se a si mesmo na doçura desse amor; que o ama acima de todos os seus dons, e amaria ainda que nada tivesse dele recebido, e que deseja o bem ao objeto assim amado. Ora, como desejar e querer efetivamente algum bem a Deus, senão pelo cumprimento exato de sua vontade, uma vez que essa vontade encaminha todas as coisas para a sua maior glória? Portanto, essa alma deve entregar-se a Ele plena e inteiramente, até não conseguir mais querer outra coisa senão o que Deus quer.

Elisabete da Trindade

Ó Deus de Amor, eu te louvo por tua presença em minha vida e na vida de todas as pessoas que amo. Amém.

5 Maio

Hoje: *Dia Nacional das Comunicações.*
Santos do dia: *Silvano / Joviniano / Niceto.*

Deus nos sugeriu, Ele próprio, as palavras para falar com Ele: os salmos e as outras inumeráveis orações disseminadas na Escritura, até chegar ao Pai-nosso, que é a "mãe de todas as orações". Fez isso não para que sejam repetidas mecanicamente por nós, mas para que as façamos nossas e modelemos as nossas orações pessoais e espontâneas naquelas que o Espírito inspirou aos grandes orantes da Bíblia.

Pe. Raniero Cantalamessa

Bom Pastor, pela oração dos salmos, possamos criar intimidade conosco mesmos, com os outros e contigo e, assim, sermos verdadeiramente felizes. Amém.

6 Maio

Hoje: *Dia do Taquígrafo e dia do Cartógrafo.*
Santos do dia: *Heliodoro / Benta / Idiberto.*

A perfeição começa nos pequenos detalhes. A palavra fiel vem do latim *fidele*, significando exatidão, firmeza, lealdade, como também o ponteiro que indica o equilíbrio na balança. Portanto, ser fiel é saber manter o equilíbrio com exatidão, firmeza e lealdade. Ser fiel nas coisas é ser responsável, honesto e justo, é uma atitude do querer. Quando vemos um equilibrista, admiramos sua habilidade e dizemos que seu domínio e força são frutos de muito treino; ao dominar nossa tendência ao comodismo com firmeza, procurando fazer o que deve ser feito com maior exatidão possível, estamos gerando força em nosso caráter que será capaz de manter nosso "equilíbrio". "Aquele que é fiel nas coisas pequenas, será também fiel nas coisas grandes" (Lc 16,10).

José Irineu Nenevê

Senhor, torna-me pronto a te dizer "sim" e ser fiel aos teus ensinamentos em todos os momentos da minha vida, sem esmorecer, sem duvidar. Amém.

7 Maio

Hoje: *Dia do Silêncio, dia do Oftalmologista e dia Nacional da Prevenção da Alergia.*

Santos do dia: *Flávia Domitila / Augusto / Juvenal.*

Tudo é silêncio. Na solidão absoluta não é difícil amar aos outros. É preciso amar os seres humanos no convívio cansativo do dia a dia. Não se afaste deles quando: o seu coração está inquieto, os seus nervos estão excitados, a sua paciência já esgotou, a tristeza o invade. São os momentos para se aproximar de todos, superando os limites do nosso ser humano. É preciso amar sempre e não escolher os momentos do amor. Toda vida deve ser um perene diálogo de abertura, uma janela iluminada pelo sol da alegria no mundo envolvido pelas trevas do egoísmo. Viva sempre bem perto de todos, dominando os seus impulsos. Enquanto depende de você viva em paz, em alegria, na justiça sempre, e com todos.

Frei Patrício Sciadini, OCD

Senhor, faz-nos compreender e valorizar o silêncio, que é necessário e fonte de energia e de reflexão. Amém.

8 Maio

Hoje: *Dia da Cruz Vermelha, dia do Pintor e do Artista Plástico, dia do Profissional de Marketing e dia da Vitória (fim da 2ª Guerra Mundial).*

Santos do dia: *Bonifácio IV / Agácio / Desiderato / Madalena de Canossa.*

Escutar a voz daquele que faz

No Antigo Testamento é muito forte algo que muitas vezes é malcompreendido, ainda em nossos dias. Pensa-se, com frequência, que Deus faz leis, coloca mandamentos a serem observados, move-se em disciplinas... Ao passo que não é bem isto que diz o texto sagrado. Vejamos: "Eis o que diz o Senhor, Aquele que te fez sair da escravidão". O Senhor diz, porém antes de dizer Ele age, faz sair da escravidão e conduz o povo à terra prometida...

Canísio Mayer

Senhor, faze de mim uma pessoa leal a ti e aos irmãos, digna de confiança, honesta e franca nos meus relacionamentos. Amém.

9 Maio

Santos do dia: *Pacômio / Hermas / Gerôncio.*

Um velho pároco tinha o hábito de dar, como presente de núpcias, a todos aqueles cuja união abençoava, o seguinte conselho: "Todas as vezes que sobrevier uma discussão entre vocês, digam simplesmente: Vamos deixar isso para amanhã; agora não adianta falar nisso. No dia seguinte verão que fizeram bem em não discutir o tal assunto, pois não valia a pena; ficará provavelmente esquecido, e os interessados acabarão por achar graça em ter querido fazer, de uma insignificância, um negócio de Estado".

Lucas

Senhor, que os casais não descartem a tua bênção, mas vivam a cada dia redescobrindo a alegria do amor inicial renovado em cada gesto. Amém.

Hoje: *Dia do Cozinheiro, dia da Cavalaria e dia do Campo.*

Santos do dia: *Damião de Molokai / Blanda / Nazário / João d'Ávila.*

10 Maio

Missão de ser mãe!

A Bíblia não declara que todas as mulheres devam ser mães. Contudo, diz: aquelas que se tornam mães devem assumir seriamente tal responsabilidade, pois da mesma forma com que uma mãe gera seu filho durante a gravidez, alimenta-o e cuida durante a infância, tem também um papel constante em sua vida durante a adolescência, juventude e até quando adulto. Papel esse de desenvolver o amor, cuidado, educação e encorajamento. Maria junto à cruz de Jesus é exemplo de mãe presente, responsável e amorosa que está com Jesus, seu filho, em todos os momentos, do início ao fim de sua missão. Que Maria nos ensine o dom da resistência, da perseverança, na fé, nas cruzes da missão de mãe!

Regina Helena Mantovani

Nossa Senhora, mãe escolhida por Deus, protege todas as mães. Estenda-lhes a tua mão poderosa, capacitando-as para educar os filhos. Amém.

11 Maio

Santos do dia: *Odilon / Inácio de Láconi / Alberto de Bérgamo.*

Tenhamos esperança! Nós somos indiscutivelmente daqueles a quem Jesus veio salvar, pois tínhamos perecido e, sem Ele, a cada instante corremos o risco de perecer. Tenhamos esperança! Porque, sejam quais forem as nossas culpas, Jesus veio para nos salvar. Quanto mais nos sentirmos pecadores e em perigo, quanto mais nos encontrarmos em estado desesperado no que respeita ao corpo e à alma, mais, por assim dizer, Jesus nos quer salvar, pois veio para salvar o que perecia. Não percamos coragem, esperemos sempre!

Bv. Charles de Foucauld

Jesus, ajuda-nos a partir cada dia em busca de Deus, guiados pela fé, esperança e caridade. Amém.

12 Maio

Hoje: *Dia da Enfermagem e do Enfermeiro.*

Santos do dia: *Nereu / Aquiles / Pancrácio / Leopoldo Mandic.*

Aquele que fala muito, frequentemente coloca-se no centro. Sempre de novo ele volta a falar de si, põe-se debaixo da lâmpada para que os outros lhe deem a devida atenção. Assim diz João Clímaco: "A tagarelice é o trono da vanglória, onde ela senta-se em juízo sobre si mesma e toca o trombone sobre si para o mundo inteiro". Quem fala quer ser levado em conta. Quem fala espera ser ouvido, ser levado a sério. E com bastante frequência espera ser reconhecido, ou mesmo admirado. Sem perceber, a gente torce as palavras de modo a provocar reconhecimento. Assim o falar serve com frequência para satisfazer a vaidade.

Anselm Grün

Pai, que o amor e a verdade estejam sempre presentes em minha vida e que eu não seja escravo de vaidades, mágoas, mentiras e vícios. Amém.

13 Maio

Hoje: *Dia da Fraternidade Brasileira, dia da Abolição da Escravatura, dia do Automóvel, dia da Estrada de Rodagem e dia do Zootecnista.*

Santos do dia: *Nossa Senhora de Fátima / Júlia Billiart / Glicéria.*

A pior escravidão é quando se é escravo de si mesmo. A palavra temperança vem do latim *temperantia*, que quer dizer a qualidade ou virtude de quem tem o poder de moderar os apetites e as paixões; parcimônia; sobriedade. Nosso organismo tem necessidades básicas, dentre elas a de beber e alimentar-se, mas tudo na medida certa. Assim, beber em demasia pode tornar a pessoa dependente ou escrava da bebida, da mesma forma a comida fora de controle pode tornar a pessoa escrava do apetite. Logo, a virtude da temperança é como um fiel de balança que nos orienta para estabelecermos um equilíbrio em nossos apetites e paixões, para que haja a harmonia em nossa vida.

José Irineu Nenevê

Não permita, Senhor, que o ser humano escravize seu irmão, explorando seu trabalho e negando a justa remuneração ao operário. Amém.

Santos do dia: *Matias, apóstolo / Petronila de Moncel / Maria Domingas Mazzarello.*

14 Maio

Deus é o "Pai do céu". Não está ligado a um lugar sagrado, nem pertence a um povo ou a uma raça concreta. Não cabe em nenhuma religião. É o Deus de todos. "*Ele faz nascer o sol para bons e maus, e faz chover sobre justos e injustos*" (Mt 5,45). "*Ele é bondoso para com ingratos e maus*" (Lc 6,35). Rezar o Pai-nosso é reconhecer a todos como irmãos e irmãs, sentir-se em comunhão com todos os homens e mulheres, sem recusar a ninguém, sem desprezar nenhum povo, sem discriminar nenhuma raça.

José Antonio Pagola

Pai Celeste, ajuda-nos a caminhar sempre com a verdade e sendo justo, procedendo de acordo com seus mandamentos. Amém.

15 Maio

Hoje: *Dia do Assistente Social e dia Internacional da Família.*

Santos do dia: *Dionísia / Cássio / Torquato / Isidoro Lavrador.*

Se não tivermos sentimentos humanos, não podemos amar a Deus do modo como o devemos amar – como seres humanos. Se não correspondemos ao afeto humano, não podemos ser amados por Deus da maneira que Ele determinou amar-nos – com o coração do Homem Jesus que é Deus, o Filho de Deus e o Ungido, Cristo.

Thomas Merton

Senhor, minha riqueza é a minha família; abençoa-nos, proteja-nos, derrama sobre nós a tua graça para que sempre vivamos em comunhão. Amém.

16 Maio

Hoje: *Dia do Gari.*

Santos do dia: *João Nepomuceno / Honorato / Luís Orione.*

A irradiação de Deus manifesta-se através das vulnerabilidades humanas. Quando o ser humano já não dispõe de soluções, só lhe resta abandonar-se a Deus, de corpo e alma. Se não estivesse tão desarvorado, talvez não fosse procurar tão apaixonadamente haurir força criadora em Deus. As fragilidades nos tornam mais atentos aos outros, mais aptos para criar com eles. Os pretensos fortes encerram-se no autoritarismo e criam à sua volta a imobilidade. Um dia sobrevém no qual transparece o segredo duma felicidade: ela não está fora de nós, o Reino está no interior.

Irmão Roger de Taizé

Senhor Jesus, esteja sempre ao meu lado, defendendo-me, ajudando-me, conduzindo-me e me abençoando. Amém.

17 Maio

Hoje: *Dia Mundial das Telecomunicações.*

Santos do dia: *Pascoal Bailão / Basila / Restituta.*

A oração

Não reze dez "Pai-nossos" decorados, reze apenas um, pronunciando em seu pensamento cada palavra desta oração, buscando sentir o seu real significado. Reze apenas um, bem devagar, procurando unir cada palavra ao propósito de sua oração, seja em pedido, seja em agradecimento. Procure fazer assim em toda oração, até mesmo naquela que você mesmo cria com seu pensamento. Pronuncie as palavras com clareza e busque sentir, sinceramente, tudo que você está dizendo. As orações são enviadas em forma de ondas; quanto mais límpidas e harmoniosas forem, mais eficientes serão.

José Renato Sindorf

Jesus, intercede por todos nós para que Deus nos conceda a graça de um dia nos juntarmos a ti. Amém.

18 Maio

Hoje: *Dia das Raças Indígenas da América, dia Internacional dos Museus, dia Nacional de Combate ao Abuso e à Exploração Sexual de Crianças e Adolescentes.*

Santos do dia: *João I / Félix de Cantalício / Cláudia / Leonardo Murialdo.*

As palavras criam realidade

Saber elogiar é uma arte. É que existe também um tipo de elogio que não é bom para as pessoas. Eis o que diz sobre o assunto o filósofo e poeta judeu Schlomo Ibn Gewirol: "Desconfie de quem atribui qualidades a você que você não tem". Quando o elogio se torna um fim em si mesmo ou quando o outro quer apenas bajular-me com o seu elogio, ele não me faz bem. Quando alguém elogia algo em mim que eu não percebo, é porque essa pessoa tem outros objetivos em mente. O seu elogio pode me atrapalhar.

Anselm Grün

Senhor Jesus, ensina-me a elogiar os outros. Muitas pessoas se animam ao receber um elogio. Ajuda-me a ser uma pessoa melhor. Amém.

19 Maio

Hoje: *Dia do Defensor Público.*

Santos do dia: *Crispim de Viterbo / Prudenciana / Ivo.*

Amamos Deus, o amor a Deus é o primeiro mandamento, mas o segundo lhe é semelhante, quer dizer, é somente através dos outros que podemos corresponder com amor ao amor de Deus. O perigo é deixar o segundo mandamento ficar sendo o primeiro. Mas temos uma prova de controle, e é de amar cada pessoa, amar Cristo, amar Deus em cada pessoa, sem preferência, sem categorias, sem exceções. O segundo perigo é não o conseguirmos, e não o conseguiremos se separarmos a caridade da fé e da esperança. A oração dá-nos fé e esperança. Sem rezar, não poderemos amar. [...] O terceiro perigo será não amar "como Jesus amou", mas de modo humano. É talvez o maior deles.

Madeleine Delbrêl

Senhor, que eu saiba me identificar com meus irmãos, sentindo o que eles sentem, esperando o que eles esperam, para que se faça a paz. Amém.

20 Maio

Hoje: *Dia do Pedagogo.*

Santos do dia: *Bernardino de Sena / Columbano de Rieti / Austregésilo.*

Mantenha-se aberto para o plano que Deus tem a seu respeito. Se, digamos, sofrer um desapontamento depois do outro, é possível que esteja tentando forçar a abertura de portas que Deus não quer que atravesse. Continue a trabalhar em sua vida, sempre orando, e então esses desapontamentos o levarão à porta correta.

Norman Vincent Peale

Senhor, ajuda-nos a ser mais compassivos com os erros dos outros, não os julgando e aceitando, sem preconceitos, as pessoas como são. Amém.

21 Maio

Hoje: *Dia da Língua Nacional.*

Santos do dia: *Cristóforo Magalhães / Sinésio / Benvenuto / Valente.*

Como a pessoa é, assim ela reza. É pelo modo de falarmos a Deus, que nós nos fazemos aquilo que somos. A pessoa que não reza jamais é alguém que tentou fugir de si mesma, porque fugiu de Deus. Mas embora seja ela tão irreal, é mais real do que a pessoa que ora a Deus com um coração falso e mentiroso.

Thomas Merton

Jesus Amado, toca o coração das pessoas que têm dificuldade de confiar em Deus. Faze-lhes perceber o teu amor por elas. Amém.

Hoje: *Dia Internacional da Biodiversidade, dia do Apicultor e dia do Abraço.*

Santos do dia: *Rita de Cássia / Quitéria / Casto.*

22 Maio

Todos nós carregamos conosco esta dupla atitude de vida: somos conduzidos por Deus, por pessoas, por responsabilidades, pela nossa consciência, pela formação recebida... E, ao mesmo tempo, conduzimos: somos responsáveis ou corresponsáveis por várias pessoas, várias decisões, atividades... Vivemos nesta tensão salutar entre: sermos passivos e ativos; agraciados e doadores de vida; amados e serviçais; a dimensão vertical e horizontal da vida; entre o amor a Deus e ao próximo...

Canísio Mayer

Santa Rita de Cássia, das causas difíceis, ajuda-me a confiar no amor irrestrito de Deus e nele colocar sempre a minha esperança. Amém.

23 Maio

Santos do dia: *Epitácio / Miguel, bispo / João Batista Rossi.*

Frente a toda dúvida irradiem: as pessoas são filhas do amor, geradas pelo mais precioso amor do mundo, o amor de Deus. Assim, entre o sofrer e o amar, escolham amar. O amor está cansado de rimas com a dor! Amar não é sofrer, viver sem amar é que é sofrer! Não deixem ninguém fazer do sofrimento a causa da vida, façam do amor essa causa! O Filho do Pai já sofreu toda dor, deixando para nós a missão de amar!

Pe. Paulo de Araújo

Pai de Bondade, livra-nos de todo mal. Confio em ti e creio que tua proteção me dá segurança hoje e sempre. Amém.

24 Maio

Hoje: *Dia da Infantaria, dia do Telegrafista, dia do Vestibulando, dia Nacional do Cigano e dia do Café.*

Santos do dia: *Nossa Senhora Auxiliadora / Nossa Senhora da Estrada / Bvs. Manuel Gomes Gonzáles e Adílio Daronch.*

Procurai progredir diariamente em amor, em virtude; se te deténs, andas para trás... trabalha, pois, constantemente, e examina-te com frequência para saberes a quantas andas: a maneira de saberes se cresces, se progrides no amor divino e em todas as virtudes, é verificares em que medida estás crescendo em humildade e em amor ao próximo... Se cresces nessas duas coisas, isso é prova certa de que cresces em perfeição total...

Bv. Charles de Foucauld

Senhor, eu te peço, dá-me a virtude da prudência para que eu não permita que o trabalho me domine e roube a alegria da vida familiar. Amém.

25 Maio

Hoje: *Dia do Industrial, dia da Costureira, dia do Massagista, dia Nacional da Adoção, dia Internacional da Tireoide e dia da África.*

Santos do dia: *Beda Venerável / Gregório VII / Maria Madalena de Pazzi.*

Quem é fiel no pouco também o é no muito, e quem no pouco é infiel também o é no muito. Se, pois, não fostes fiéis nas riquezas injustas, quem vos confiará as riquezas verdadeiras? E se não fostes fiéis no que é dos outros, quem vos dará o que é vosso? Nenhum servo pode servir a dois senhores, pois ou odiará um e amará o outro, ou será fiel a um e abandonará o outro. Não podeis servir a Deus e as riquezas.

Lc 16,10-13

Senhor Jesus, agradeço-te por este dia e entrego em tuas mãos o meu repouso noturno. Amém.

26 Maio

Hoje: *Dia Nacional de Combate ao Glaucoma e dia do Revendedor Lotérico.*

Santos do dia: *Nossa Senhora do Caravaggio / Filipe Neri / Eva de Liége / Maria Ana.*

Pela fé, Maria acolheu a palavra do Anjo e acreditou no anúncio de que seria Mãe de Deus na obediência de sua dedicação (cf. Lc 1,38). [...] Com fé, Maria saboreou os frutos da ressurreição de Jesus e, conservando no coração a memória de tudo (cf. Lc 2,19.51), transmitiu-a aos Doze reunidos com Ela no Cenáculo para receberem o Espírito Santo (cf. At 1,14; 2,1-4).

***Carta Apostólica* Porta Fidei**

Mãe Maria, eu te peço que me acolhas em teus braços e embale o meu sono para que durma na segurança do teu abraço aquecido por teu amor. Amém.

27 Maio

Hoje: *Dia do Profissional Liberal.*

Santos do dia: *Agostinho de Cantuária / Melângela / Ranulfo / Bruno de Würzburg.*

A oração tem um grande poder: ela abre um coração fechado, ela devolve a alegria ao coração triste.

Ela dá força e sabedoria ao coração ansioso.

Ela prepara num coração estreito o lugar para a grandeza e a glória de Deus.

François Arnold et al.

Pai, meu coração se alegra na tua presença e todo meu ser se renova; ajuda-me a manter viva essa alegria e espalhá-la entre os irmãos. Amém.

28 Maio

Hoje: *Dia Nacional de Luta pela Saúde da Mulher.*

Santos do dia: *Bernardo de Novara / Emílio / Margarida Pole.*

A interioridade é o lugar mais autêntico em nosso ser. Não exclui a "exterioridade" como ambiente necessário de onde se concretiza a existência. Quando falamos de "interioridade" não imaginamos um refúgio atrincheirado onde deixamos de fora as preocupações e realidades de nossa vida, mas um lugar profundo onde pôr a salvo todas essas realidades para escutá-las de outro modo. É o lugar onde somos, onde denominamos, onde decidimos. É o lugar onde amamos, onde perdoamos, onde somos perdoados. É o lugar em que Deus mesmo nos habita.

Carolina Mancini

Jesus, que eu siga teus passos, agindo com mansidão e humildade no convívio com o próximo e na intimidade com Deus Pai. Amém.

29 Maio

Hoje: *Dia do Geógrafo e dia do Estatístico.*

Santos do dia: *Maximino / Cirilo de Cesareia / Sisínio.*

O amor é o nosso verdadeiro destino. Não encontramos o sentido da vida sozinhos – nós o encontramos com um outro. Não descobrimos o segredo de nossas vidas apenas pelo estudo e pelo cálculo em nossas meditações isoladas. O sentido de nossa vida é um segredo que nos tem de ser revelado no amor, por aquele que amamos. E, se esse amor for irreal, o segredo não será encontrado, o sentido jamais se revelará, a mensagem jamais será decodificada. Receberemos, no máximo, uma mensagem distorcida e parcial, que nos enganará e confundirá. Jamais seremos plenamente reais até deixarmos a paixão se apoderar de nós – seja por uma pessoa humana ou por Deus.

Thomas Merton

Senhor, a paciência é a virtude daqueles que sabem esperar contra toda esperança; dá-me um coração paciente e lento para a cólera. Amém.

30 Maio

Hoje: *Dia do Geólogo e dia do Decorador.*

Santos do dia: *Joana d'Arc / Fernando III / Camila Batista Varani / José Marello.*

"Somos o que somos diante de Deus e nada mais." Deus amou tanto os seres humanos que lhes deu livre-arbítrio (liberdade) e espera paciente que o ser humano se volte para Ele. Nesta liberdade está implícita nossa responsabilidade pelos atos que praticamos. Na educação aprendemos a conhecer os limites da liberdade e escravidão. Assim não somos senhores de ninguém, apenas educadores quando esta responsabilidade nos for atribuída. O amor é livre, quem ama esperando retribuição é porque nunca amou.

José Irineu Nenevê

Ajuda-nos, Senhor, a reconquistar a liberdade de consciência, tantas vezes aprisionada por ideologias contrárias ao teu projeto de amor. Amém.

31 Maio

Hoje: *Visitação de Nossa Senhora. Dia da Aeromoça, dia do Comissário de Bordo e dia Mundial do Combate ao Fumo.*

Santos do dia: *Câncio / Petronila de Roma / Pascásio*

Por Maria, conhecer o Cristo

O melhor meio de conhecer Nossa Senhora é nos aproximarmos de sua humildade, sua discrição, sua pobreza, sua reserva e sua solidão. Conhecendo-a assim encontramos a sabedoria.

Na pessoa humana, real, viva que é a Virgem Mãe de Cristo se acha a plenitude da pobreza e da sabedoria. É por Maria que a santidade vem de Cristo, é em Maria que ela reside.

A santidade de todos os santos é participação na santidade de Maria: na ordem que estabeleceu em Jesus Cristo, Deus quer que toda graça chegue aos seres humanos por intermédio daquela a quem Ele confiou Jesus.

Amá-la e conhecê-la em Cristo é descobrir o verdadeiro significado de toda coisa, é aceder à sabedoria.

Sem Maria o próprio conhecimento de Cristo é pura especulação.

Em Maria tal conhecimento se transforma em experiência, porque ela recebeu a humildade e a pobreza sem as quais não se pode conhecer Cristo.

Sua santidade é o silêncio no qual Cristo pode ser ouvido.

Thomas Merton

Nossa Mãe Maria, ensina-nos que na pobreza e na humildade conhecemos a Jesus Cristo. Aponta-nos o caminho da santidade para chegar a Deus. Amém.

1 Junho

Hoje: *Dia Nacional da Imprensa.*

Santos do dia: *Justino / Cândida / Herculano de Piegaro.*

Creio que Deus existe, é Pai, criou e continua criando, é todo-poderoso, fez o universo e, se um dia o universo acabar, Ele continuará sendo quem é, porque existiu antes e existirá depois da criação. Creio que Deus tem um Filho eterno e que qualquer outra obra sua, qualquer outro filho dependem desse seu único Filho; que é o mais Filho de todos os filhos. Creio que esse Filho é eterno e é uma só realidade com Deus porque, na ordem espiritual, o Pai e o Filho são um só Deus; tudo o que é do Pai é do Filho e o que é do Filho é do Pai.

Pe. Zezinho, SCJ

Senhor, quão belo é ver o povo celebrar as festas juninas. Faze com que as comunidades celebrem seus padroeiros com muita alegria e paz. Amém.

2 Junho

Santos do dia: *Marcelino / Pedro / Erasmo / Blandina.*

Acima de tudo o amor

Ainda que eu falasse línguas, as dos homens e as dos anjos, se eu não tivesse o amor, seria como um sino ruidoso ou como um címbalo estridente. Ainda que eu tivesse o dom da profecia, o conhecimento de todos os mistérios e de toda a ciência; ainda que eu tivesse toda a fé, a ponto de transportar montanhas, se não tivesse o amor eu nada seria. Ainda que eu distribuísse todos os meus bens aos famintos, ainda que entregasse o meu corpo às chamas, se não tivesse o amor, nada disso me adiantaria.

1Cor 13,1-3

Deus que és amor, ilumina-me com tua luz e infunde em mim teu Espírito para que eu espalhe a terna caridade por toda a minha vida. Amém.

3 Junho

Hoje: *Dia do Profissional de RH.*

Santos do dia: *Carlos Lwanga / Clotilde / Olívia / Juan Diego Cuauhtlatoatzin.*

O orgulho cria uma barreira entre a nascente e nós. Para que esta não cesse de nos saciar, devemos admitir que tudo nos vem dela, que por nós mesmos nada somos e nada podemos, e fazer tudo para não obstruir os canais por onde a água aflui em nós. Esta humildade deve nascer do conhecimento de nós mesmos: admitimos, ao mesmo tempo, nossos limites enquanto criaturas, e nossa grandeza enquanto criados pelo Criador de todas as perfeições.

Marcelle Auclair

Senhor, creio que Tu és o Deus Uno e Trino, Criador e Redentor; peço-te que alimentes a minha fé para que jamais eu me afaste de ti. Amém.

4 Junho

Hoje: *Dia Mundial Contra a Agressão Infantil e dia do Engenheiro Agrimensor.*

Santos do dia: *Filippo Smaldone / Quintino / Daciano / Saturnina.*

O batismo é só o começo da nobre e sublime vida do cristão como filho de Deus. O maior dos sacramentos, o que torna todos os outros perfeitos e completos, é a Santa Eucaristia, o mistério do amor de Cristo, no qual o cristão é sacramentalmente unido ao Senhor ressuscitado, em santa comunhão. Ao receber o corpo do Salvador na hóstia consagrada, o fiel afirma sua união com Cristo na paixão, na morte e na ressurreição. Torna-se um só coração, uma só mente e um só espírito com o abençoado salvador.

Thomas Merton

Jesus, diante da tua presença na Eucaristia, pedimos ajuda para seguirmos os teus exemplos de amor e humildade. Amém.

5 Junho

Hoje: *Dia Mundial da Ecologia e do Meio Ambiente.*

Santos do dia: *Bonifácio, apóstolo dos Germanos / Fernando de Portugal / Círia.*

A força origina-se da paz

Jesus convida os inquietos com a promessa de que os tranquilizará: "Vinde a mim aqueles que se atormentam e tiveram de suportar fardos pesados. Eu vos darei paz" (Mt 11,28). A causa da inquietação é que nós nos atormentamos e, muitas vezes, nos torturamos, colocando-nos continuamente sob pressão. Há um curso em que falamos sobre essa pressão que colocamos sobre nós mesmos. Uma aposentada contou como ela continuava a se inquietar, porque achava que ainda precisava fazer isso ou aquilo. Ela ficava com um peso na consciência quando, ao meio-dia, achava ter feito muito pouco. Uma mãe se inquietava quando o seu filho ia mal ao servir de acólito. Um homem se inquieta ao achar que deve liquidar esta ou aquela atividade em dez minutos.

Anselm Grün

Pai, ilumina-nos para que tomemos atitudes ecologicamente corretas, visando preservar o meio ambiente para melhorar a vida no planeta. Amém.

6 Junho

Hoje: *Dia Nacional do Teste do Pezinho.*

Santos do dia: *Norberto / Marcelino Champagnat / Paulina.*

Esvazie o seu coração

O que você precisa jogar fora? O que você não pode mais deixar dentro de si, dentro do seu dia a dia? Dê nome – escrevendo – a tudo o que você precisa jogar fora. Como você fará esse gesto? Quem sabe, você escreve sobre um papel e depois vai queimar, enquanto isso peça a Deus a graça de tirar esta força negativa de dentro de você e que Ele lhe dê um coração novo, grande, forte...

Canísio Mayer

Senhor, perdoa-nos por esquecer que Tu desejas sempre o melhor para nós. Tira de nós o egoísmo próprio do ser humano. Amém.

7 Junho

Santos do dia: *Ana de S. Bartolomeu / Antônio Gianelli / Pedro de Córdova.*

Quem está cheio do Espírito Santo fala diversas línguas. Diversas línguas são os vários testemunhos a respeito de Cristo, isto é, humildade, pobreza, paciência e obediência, as quais falamos quando as mostramos aos outros, em nós. O falar é vivo quando as obras falam. Cessem as palavras, falem as obras.

Santo Antônio de Pádua

Senhor, transforma-me plantando em mim a chama do teu Espírito, para que todo o meu ser se torne instrumento na construção do Reino. Amém.

Santos do dia: *Efrém / Salustiano / Clodolfo.*

8 Junho

Só Jesus revelará o conteúdo encerrado na invocação de Deus como Pai. Quando um cristão inicia sua oração, a primeira coisa que faz é situar-se diante de um Deus *Pai*. Deus é para nós Mistério transcendente e santo, mas Mistério de amor pessoal e concreto. Ao rezar, não nos dirigimos a "algo", não nos submergimos na "Energia cósmica" que tudo dirige, não nos fundimos com a "Totalidade misteriosa do universo". Nós nos dirigimos a "Alguém" com rosto pessoal, atento aos desejos e necessidades do coração humano. Dialogamos com um Pai que está na origem de nosso ser e que é o destino último de nossa existência. Quando pronunciamos esta palavra "Pai", orientamos todo o nosso ser para o único que nos ama, compreende e perdoa, pois somos seus filhos.

José Antonio Pagola

Deus Pai, quero hoje agradecer-te por tudo o que tenho e confirmar, mais uma vez, minha intenção de nunca me afastar de ti. Amém.

9 Junho

Hoje: *Dia Nacional de Anchieta – Apóstolo do Brasil, dia do Tenista e dia do Porteiro.*

Santos do dia: *José de Anchieta / Ricardo de Andria / Diana.*

Medite nos momentos em que o seu pensamento entrar em conflito: "Estou ótimo, estou em paz. Estou de bem comigo, de bem com o mundo e, principalmente, com Deus. Mesmo as maiores dificuldades para os outros, para mim são pequenos obstáculos que os venço com o meu esforço. Estou feliz por dentro. Estou feliz por fora e a cada dia melhor. Sinto-me confiante. Otimista. Seguro. Respeito o próximo, temo a Deus e sigo seus princípios e mandamentos. Não perco tempo engendrando meios ardilosos para ganhar mais. Apego-me ao trabalho honesto e ganho na exatidão do meu mérito. Sigo buscando meus sonhos, acreditando que há uma felicidade para todos; e eu vou ao encontro daquela que o destino me reserva!"

Inácio Dantas

São José de Anchieta, evangelizador do Brasil, zela por nosso país, para que o povo jamais se desvie do caminho da paz e da justiça. Amém.

10 Junho

Hoje: *Dia da Artilharia.*

Santos do dia: *Getúlio / Itamar / Luciliano.*

Naquela ocasião, Jesus tomou a palavra e disse: "Eu te louvo, Pai, Senhor do céu e da terra, porque escondeste estas coisas aos sábios e entendidos e as revelaste aos pequeninos. Sim, Pai, porque assim foi do teu agrado. Tudo me foi entregue por meu Pai. Ninguém conhece o Filho senão o Pai, e ninguém conhece o Pai senão o Filho e aquele a quem o Filho o quiser revelar. Vinde a mim vós todos, que estais cansados e sobrecarregados, e eu vos darei descanso. Tomai sobre vós o meu jugo e aprendei de mim, que sou manso e humilde de coração, e achareis descanso para vossas almas. Pois meu jugo é suave e meu peso é leve".

Mt 11,25-30

Senhor, que a humildade esteja sempre presente em nossa vida. Pedimos a ti que nos capacites para praticar o bem. Amém.

11 Junho

Hoje: *Dia do Educador Sanitário.*

Santos do dia: *Barnabé, apóstolo / Paula Frassinetti / Parísio.*

O amor nunca é obrigação fria. É alegria, liberdade, força. O amor mata a angústia. Onde o amor não existe, surgem angústia e tédio. O amor é disposição. O amor é entusiasmo. O amor é risco. Não amam e não são amados os que "economizam" e "poupam" seus sentimentos.

Martin Gray

São Barnabé, apóstolo difusor da fé cristã entre os pagãos, ajuda-me a difundir o nome de Jesus seguindo seus ensinamentos. Amém.

12 Junho

Hoje: *Dia dos Namorados, dia Contra o Trabalho Infantil, dia do Correio Aéreo Nacional.*

Santos do dia: *Onofre / Olímpio / Iolanda.*

Não há verdadeira vida espiritual fora do amor de Cristo. Temos uma vida espiritual unicamente porque Ele nos ama. A vida espiritual consiste em receber o dom do Espírito e sua caridade, porque, em seu amor por nós, o Sagrado Coração de Jesus determinou que vivêssemos por seu espírito – o mesmo Espírito que procede do Verbo e do Pai e que é o amor de Jesus pelo Pai. Se soubermos como é grande o amor de Jesus por nós, nunca teremos medo de ir a Ele em toda a nossa pobreza, toda a nossa fraqueza, toda a nossa indigência espiritual e fragilidade. De fato, quando compreendermos o verdadeiro sentido de seu amor por nós, haveremos de preferir vir a Ele pobres e necessitados. Nunca nos envergonharemos de nossa miséria.

Thomas Merton

Senhor, abençoa os namorados e ajuda-lhes a viver o tempo de namoro com respeito, para se conhecerem melhor e descobrir o que os une. Amém.

13 Junho

Santos do dia: *Antônio de Pádua e de Lisboa / Peregrino / Aquilina.*

Há três formas de crer: a Deus, crer Deus e crer em Deus. Crer a Deus significa acolher como verdade tudo o que Ele diz: até os que praticam maldade podem chegar a isso. Crer Deus significa crer que Deus existe: e até os demônios fazem isto. Enfim, crer em Deus implica crer e amá-lo, crer e ir até Ele. É crer e aderir a Ele. É chegar até Ele. Esta é a fé que justifica o pecador, pois, lá onde existe fé, há confiança na misericórdia divina e, também, perdão dos pecados.

Santo Antônio de Pádua

Santo Antônio, os namorados e os que querem encontrar coisas perdidas te invocam. Eu também peço por mim. Amém.

Santos do dia: *Rufino / Eliseu / Digna / Bv. Francisca Paula de Jesus (Nhá Chica).*

14 Junho

Nunca é suficiente

Todos nós temos o desejo de ser ricos. Muitos pensam na riqueza exterior, em possuir muitos bens, em ter uma quantidade enorme de propriedades. Jesus sempre nos advertiu quanto a essa riqueza. O Evangelho de Lucas convida os ricos a dividir a sua riqueza com os outros. Na opinião de Lucas, a exortação de Jesus ao amor ao próximo e à compaixão se concretiza nessa divisão dos próprios bens com os outros. Para Jesus a riqueza não é em si mesma má. A riqueza, como diz C.G. Jung, tem a tendência de fortalecer a máscara: quando alguém se esconde atrás daquilo que possui, não se pode entrar em contato com ele, nem falar a respeito de seus sentimentos. É que essa pessoa se esconde atrás do que construiu. Mas o lado humano dela definha. Ela tornou-se incapaz de relacionar-se. Não se alimenta de bons encontros e de boas conversas.

Anselm Grün

Senhor, que eu não viva apegado ao meu trabalho e ao dinheiro que possa me trazer, deixando de lado a família e amigos, mas me desapegue. Amém.

15 Junho

Hoje: *Dia Mundial de Combate à Violência Contra o Idoso.*

Santos do dia: *Vito / Germana / Líbia / Bv. Albertina Berkenbrock.*

Olhando para o seu passado, descubra e enumere tudo o que atrapalha o seu momento presente de ser e viver. Perceba a força que certas situações e experiências negativas têm sobre você. Uma coisa é certa: elas fazem parte de sua vida. Você não pode negar isso. Pelo menos acolha tudo como sendo algo que aconteceu com você, mesmo que você discorde, resista, sinta repulsas... Elas fazem parte da sua vida. Como acolher esta realidade sem precisar concordar com o que houve de erro, de exagero, de...?

Canísio Mayer

Deus Pai, agradeço-te por minha existência e de meus semelhantes. Quero reconhecer-te em todos os momentos de minha vida. Amém.

Santos do dia: *Julita / Aureliano / Beno.*

16 Junho

Pelo Espírito Santo, nossa missão deriva do próprio Jesus e é exercida em nome dele. É o Espírito que unge todos os apóstolos, pastores e ministros de que a comunidade precisa. Pela ação do Espírito, esses têm a força e a coragem de que necessitam. É também o Espírito que infunde na comunidade a confiança indispensável em seus pastores, sacerdotes e mestres.

Dom Paulo Evaristo Arns

Vem, Espírito Santo, transforma nossa vida para que nossos olhos enxerguem os irmãos desamparados e nossas mãos se estendam para ajudá-los. Amém.

17 Junho

Hoje: *Dia Mundial de Combate à Desertificação e à Seca.*

Santos do dia: *Ismael / Manuel / Rainério.*

Generosidade e misericórdia

Há quem reparte e ganha ainda mais, outro poupa demais e fica sempre mais pobre. Quem é generoso prospera, e quem rega também será regado. O povo amaldiçoa a quem retém o trigo, mas há uma bênção para quem o vende. Quem procura o bem consegue favor, mas quem busca o mal há de encontrá-lo. Quem confia em sua riqueza cairá, mas os justos crescerão como folhas verdes. Quem perturba sua casa herdará vento, e o tolo será escravo do sábio. O fruto do justo é árvore de vida, e o sábio cativa as pessoas. Se o justo recebe na terra a recompensa, quanto mais o ímpio e o pecador!

Pr 11,24-31

Senhor Jesus, ajuda-me a ser misericordioso(a) e a me solidarizar com os sofrimentos do meu próximo. Amém.

18 Junho

Hoje: *Dia do Químico.*

Santos do dia: *Marina / Amando de Bordéus / Isabel da Alemanha.*

Um dos fatos básicos da experiência humana é que você habitualmente obtém o que a sua atitude mental indica. Isto é, se você acredita que pode, então pode. Se acredita que não pode, então não pode. Pense de forma negativa, e obterá resultado negativo, porque, com seus pensamentos, cria uma atmosfera negativa que dá hospitalidade a reações negativas. Pelo contrário, pense positivamente e criará uma atmosfera positiva, que torna natural um resultado positivo.

Norman Vincent Peale

Ó Jesus, ajuda-me a não reclamar da vida e ter a consciência de que Deus nos protege e nos abençoa para realizar nossos sonhos. Amém.

19 Junho

Santos do dia: *Romualdo / Gervásio / Juliana Falconieri.*

A sabedoria: dom do Espírito Santo

Sabedoria: para vermos o mundo, os acontecimentos e as pessoas como Deus os vê. É diferente de cultura, pois a Sabedoria só se aprende na escola de Deus e da vida. É por isso que existem pessoas sábias, embora incultas, e pessoas cultas que não manifestam um mínimo de sabedoria.

Pe. Luiz Carlos do Nascimento

Espírito Santo, que o dom da sabedoria nos ajude a discernir entre o bem e o mal, entre a luz e as trevas e a escolher o melhor caminho. Amém.

20 Junho

Hoje: *Dia Mundial dos Refugiados.*

Santos do dia: *Florentina / Silvério / Miquelina de Pesaro.*

Silêncio e tagarelice

"É difícil ficar em silêncio quando não se tem nada a dizer." Malcolm Margolin refere-se com essa observação às pessoas que não conseguem se manter em silêncio. Quem tem o que dizer consegue conter-se. Está consciente de si. Quem não tem o que dizer precisa mostrar para si e para os outros que ele é capaz de conversar. Ou não consegue suportar a pressão que o silêncio exerce sobre ele. No silêncio, ele se sente vazio e desprezado. Na opinião dos primeiros monges, o silêncio era uma saída do mundo das palavras em direção do mistério do ser e, em última instância, em direção do mistério de Deus. Alguns precisam falar para fugir de sua solidão. Quando ninguém os ouve, sentem-se excluídos da sociedade humana. Visto que não se ouvem, essas pessoas sentem a necessidade de serem constantemente ouvidas.

Anselm Grün

Pai, não há lugar mais seguro do que junto a ti; por isso te peço que não me deixes ficar longe, pois só em ti encontro a paz. Amém.

21 Junho

Hoje: *Dia do Profissional de Mídia.*

Santos do dia: *Luís Gonzaga / Demétria / Albano.*

Temor de Deus

De repente não se vê mais a luz, obscurecida pelas nuvens; passa, porém, um vento e as dissipa. Do norte surge uma luz dourada, Deus está envolto em temível majestade. O Todo-poderoso, nós não o atingimos, supremo em poder e em retidão, grande em justiça, que não oprime ninguém. É por isso que as pessoas o temem; Ele não olha para quem se julga sábio.

Jó 37,21-24

Senhor, que nosso coração não se torne gelado durante o inverno, mas se aqueça para socorrer aqueles que não têm teto nem agasalhos. Amém.

Hoje: *Dia do Orquidófilo.*

Santos do dia: *Paulino de Nola / João Fisher / Tomás Moro.*

22 Junho

Viver honestamente

Quando você mente, você não está enganando a ninguém, senão a si próprio. Busque sempre os seus direitos, mas jamais se exaspere contra aqueles que pensam lhe ludibriar. Não cometa o mesmo erro que eles, lançando-lhes contragolpes. Seja honesto consigo, cuide para não errar, cumpra com suas responsabilidades; não espere nada em retorno pelas suas ações, apenas cuide por fazê-las; esta é a sua obrigação. Mais do que obrigação, é dever, é direito, um direito inviolável: o de ser honesto para consigo. A mentira não é expressa apenas através de palavras, mas também de gestos, sentimentos e ações. A sua mentira e sua falsidade apagam sua luz. Não viva no escuro!

José Renato Sindorf

Pai Celeste, fortalece-me em teu espírito e alegra-me em tua paz. Confio em ti e amo-te com todo o meu coração. Amém.

23 Junho

Hoje: *Dia Internacional das Aldeias SOS.*

Santos do dia: *José Cafasso / Edeltrudes / Agripina.*

Para uma pessoa estar viva, deve praticar não só os atos que são próprios da vida vegetativa e animal, não deve apenas subsistir, crescer, ter sensações, mover-se, alimentar-se e descansar. Deve desempenhar as atividades que são próprias de seu tipo de vida especificamente humano. Deve, por assim dizer, pensar inteligentemente. E, acima de tudo, deve orientar seus atos por decisões livres, realizadas à luz de seu próprio pensamento. Mas essas decisões devem levar a um crescimento intelectual, moral e espiritual. Devem levá-lo a ser mais consciente de suas capacidades de conhecimento e de ação livre. Deve expandir e ampliar seu poder de amar os outros, de dedicar-se ao bem-estar deles: pois é nisso que a pessoa encontra sua própria realização.

Thomas Merton

Senhor, que a certeza do teu amor dê sentido à minha vida e me conduza pelos caminhos da fé e da esperança em ti, agora e sempre. Amém.

24 Junho

Hoje: *Natividade de São João Batista. Dia do Mel e dia Internacional da Ufologia.*

Santos do dia: *João Batista / Fausto / Firmo.*

É mais importante transpor montanhas que transportá-las. Porque quando transpomos, chegamos até os outros, e se transportássemos, poderíamos fazer da montanha uma barreira entre os outros e nós.

João Mohana

São João Batista, tu que anunciaste a vinda de Jesus, ajuda-me a seguir teu exemplo, reconhecendo e testemunhando que Jesus era o Filho de Deus. Amém.

25 Junho

Santos do dia: *Próspero / Luano / Adalberto Guilherme de Vercelli.*

O entendimento: dom do Espírito Santo

Entendimento – também chamado de inteligência: para compreendermos os outros e a vontade de Deus em nossa vida. É essencial para a convivência humana. É muito comum que as pessoas se queixem dizendo que não as entendemos, sobretudo os jovens.

Pe. Luiz Carlos do Nascimento

Espírito Santo, dá-nos o dom do entendimento para sermos capazes de ir além da realidade visível, guiando-nos pelos desígnios de Deus. Amém.

26 Junho

Hoje: *Dia Internacional da Luta contra o Uso e o Tráfico de Drogas, dia Internacional de Apoio às Vítimas da Tortura e dia do Metrologista.*

Santos do dia: *Antelmo / João dos Godos / Perseveranda / Josemaria Escrivá de Balaguer.*

Aí onde estão as nossas aspirações, o nosso trabalho, os nossos amores – aí está o lugar do nosso encontro cotidiano com Cristo. É no meio das coisas mais materiais da terra que nos devemos santificar, servindo a Deus e a todos os seres humanos. Na linha do horizonte, meus filhos, parecem unir-se o céu e a terra. Mas não: onde de verdade se juntam é no coração, quando se vive santamente a vida diária...

São Josemaria Escrivá de Balaguer

Bom Jesus, concede aos dependentes químicos força para resistirem à tentação do álcool ou de qualquer droga. Livra-lhes do vício. Amém.

27 Junho

Hoje: *Dia Nacional do Vôlei e dia do Relojoeiro.*

Santos do dia: *Nossa Senhora do Perpétuo Socorro / Cirilo de Alexandria / Ladislau / Madalena Fontaine.*

Muitas vezes nos defrontamos com pedras em nosso caminho. São pedras menores e muitas vezes pedras enormes. O importante é olhar com realismo o que acontece em cada um de nós e não temer o que aparenta ser um obstáculo intransponível. Não podemos pensar que as pedras fecharão as possibilidades de continuar o caminho. Cabe a cada um de nós reconfigurar a vida e descobrir, quem sabe, um caminho novo por entre as pedras. Afinal, nenhuma noite, por mais escura que seja, consegue impedir o amanhecer de um novo dia.

Canísio Mayer

Nossa Senhora do Perpétuo Socorro, auxílio dos cristãos, socorre-me nas horas mais difíceis e ajuda-me diante dos desafios do caminho. Amém.

Santos do dia: *Irineu / Argemiro / Vicência / Bvs. Zenão, Nicolau, Ivan e Basílio.*

28 Junho

Devemos nos desvencilhar da ideia de um Deus que pune, que vê com satisfação como as pessoas não observam seus mandamentos para poder puni-las. Estas são imagens negativas sobre Deus, que são, obviamente, determinadas por experiências negativas: se o meu pai tinha um prazer sádico de punir meus erros, eu projeto essa imagem negativa sobre Deus. Mas eu devo libertar de tais imagens a minha imagem sobre Deus. De outro modo, permaneço em minha relação doentia com meu pai.

Anselm Grün

Deus Pai, ajuda-me a estar sempre em paz convosco, comigo mesmo e com as outras pessoas. Amém.

29 Junho

Hoje: *São Pedro e São Paulo, apóstolos (celebração móvel). Dia do Pescador e dia da Telefonista.*

Santos do dia: *Judite / Ema / Anastácio.*

Pela fé, os apóstolos deixaram tudo para seguir o Mestre (cf. Mc 10,28). Pela fé, foram pelo mundo inteiro, obedecendo ao mandato de levar o Evangelho a toda a criatura (cf. Mc 16,15). Pela fé, os discípulos formaram a primeira comunidade reunida em torno do ensino dos apóstolos, na oração, na celebração da Eucaristia, pondo em comum aquilo que possuíam para acudir às necessidades dos irmãos (cf. At 2,42-47). Pela fé, os mártires deram sua vida para testemunhar a verdade do Evangelho que os transformaram, tornando-os capazes de chegar até ao dom maior do amor com o perdão dos seus próprios perseguidores.

***Carta Apostólica* Porta Fidei**

Senhor Jesus, ajuda-me a aprender a perdoar como Tu perdoaste. Eu ponho em tuas mãos toda a minha confiança. Amém.

Santos do dia: *Primeiros Mártires de Roma / Lucina / Basílides / Teobaldo / Bv. Januário Maria Sarnelli.*

30 Junho

Martírio de alfinetadas

As contrariedades e pequenos aborrecimentos de cada dia constituem o que Santa Teresinha chamava *martírio de alfinetadas*. Custam mais, às vezes, do que os grandes golpes. Ah! Mas são tão preciosas essas pequeninas cruzes! Nem sempre teremos ocasião de sofrer grandes provações e o martírio, mas teremos, todos os dias, a cada momento, os pequenos sacrifícios. Constantemente renovados, estes nos fornecerão quotidianamente muitas ocasiões para a prática das mais raras e sólidas virtudes, tais como a caridade, a paciência, a doçura, a humildade de coração, a benignidade, a renúncia ao nosso humor etc. E essas pequenas virtudes quotidianas praticadas fielmente nos farão uma rica messe de graças e de méritos para a eternidade.

Mons. Ascânio Brandão

Pai, desperta-me para a verdadeira caridade, e me faz partilhar com amor aquilo que tenho, sendo solidário com os irmãos que nada têm. Amém.

1 Julho

Santos do dia: *Teodorico / Aarão / Domiciano / Bv. Assunta Marchetti.*

A ciência: dom do Espírito Santo

Ciência: para conhecermos a Deus e andarmos cientes de nós mesmos e vermos em profundidade nossa realidade interior, isto é, nossas potencialidades e virtudes, nossas limitações e fraquezas. É o autoconhecimento à luz de Deus.

Pe. Luiz Carlos do Nascimento

Vem, Espírito Santo, enche nosso coração com o dom da ciência, que nos leva a entender a grandeza do amor de Deus por todos nós. Amém.

2 Julho

Hoje: *Dia da Independência da Bahia e dia do Bombeiro.*

Santos do dia: *Oto de Bamberga / Monegundes / Pedro de Luxemburgo.*

Nunca é suficiente

Um pregador já nos adverte no Antigo Testamento em relação à riqueza: "Quem ama o dinheiro nunca terá o bastante". Há uma avidez pelo dinheiro que nunca pode ser satisfeita. A necessidade de possuir alguns bens é uma necessidade essencial do ser humano. Esperamos poder viver tranquilamente com aquilo que possuímos. Entretanto, quem ama aquilo que possui torna-se obcecado e nunca alcança a tranquilidade. A felicidade é outra coisa. Não se pode comprá-la nem possuí-la. Nós a encontramos nos instantes em que verdadeiramente vivemos. Nesses instantes a felicidade sempre pode ser experimentada. Mas não se pode segurá-la.

Anselm Grün

Jesus, que o dinheiro não seja o objetivo maior da minha vida, mas que eu saiba usá-lo com equilíbrio e equidade, sem acumular riquezas. Amém.

3 Julho

Santos do dia: *Tomé, apóstolo / Anatólio / Leão II.*

Quem ama sabe que não existe realidade mais bonita nem mais fascinante do que o amor, nem exercício mais envolvente e empenhativo do que o de amar. Ele agarra a pessoa e a ocupa da cabeça aos pés, por dentro e por fora. Ele lhe dá origem e, ao mesmo tempo, a destina. Mexe com a pessoa e a transforma totalmente. Parece até, no bom sentido, embobecê-la: quem ama muda de voz, de jeito, de perfume, de roupa, de penteado, de rosto, de alma.

Frei Neylor J. Tonin, OFM

São Tomé, que ao repetir as tuas palavras "Meu Senhor e meu Deus" eu reavive a minha fé e confiança em Jesus ressuscitado. Amém.

Santos do dia: *Isabel de Portugal / André de Creta / Oseias.*

4 Julho

Temos de amar nossa pobreza como Jesus a ama. É tão valiosa a seus olhos que morreu na cruz a fim de apresentá-la ao Pai e enriquecer-nos com os tesouros de sua infinita misericórdia.

Temos de amar a pobreza dos outros como Jesus a ama. Devemos considerá-los com o olhar de compaixão dele. Mas não podemos ter verdadeira compaixão pelos outros se não estamos prontos a aceitar a piedade alheia e receber o perdão de nossos próprios pecados.

Thomas Merton

Ó Pai, livra-me de toda inveja, do querer o que a outros pertence, do desejar o lugar que outros ocupam de forma legítima. Amém.

5 Julho

Santos do dia: *Antônio Maria Zaccaria / Filomena / Agatão.*

Glorifica o Senhor com generosidade e não sejas mesquinho em oferecer-lhe os primeiros frutos de suas mãos. Em todas as ofertas mostra alegria no rosto e consagra o dízimo com prazer. Dá ao Altíssimo de acordo com o que te deu, com generosidade, segundo tuas posses. Pois o Senhor é alguém que retribui, e te dará sete vezes mais.

Eclo 35,10-13

Meu Deus, dá-me um coração aberto e generoso, que me leve sempre ao encontro do meu próximo preparado para socorrê-lo em tudo. Amém.

6 Julho

Santos do dia: *Maria Goretti / Domingas / Isaías.*

O mundo que vemos é apenas um reflexo do que somos. Diz uma piada que uma paciente sentia dor quando tocava qualquer parte do seu corpo, quando descobriu que estava com o dedo quebrado. Assim, quem aponta defeito em tudo que vê, pode estar com o "seu dedo quebrado", ou seja, primeiro tem que sanar "seu apontador", antes de querer corrigir o "mundo". É de nosso interior que nasce como nos relacionamos com tudo o que nos cerca, isto é, quem tem um bom coração consegue extrair lições de bondade até do "caos". Da mesma forma, quem tem um coração malvado, até no gesto mais meigo vê maldade. Não adianta querer corrigir a consequência se não fizer nada para sanar a causa. Mude o coração e verá novo brilho no olhar.

José Irineu Nenevê

Santa Maria Goretti, ajuda-me a perdoar aqueles que de alguma forma se tornam meus algozes, do mesmo modo como tu o fizeste. Amém.

7 Julho

Santos do dia: *Vilibaldo / Ilídio / Félix de Nantes.*

Com a confiança de filhos

Em sua oração, Jesus sempre se dirige a Deus chamando-o de *Abba*. É verdade que, em suas parábolas, Deus também aparece como rei, senhor, juiz..., mas quando fala com Ele só o chama de *Abba*. Esse é seu nome próprio. Esta expressão aramaica, utilizada por Jesus em todas as suas orações que chegaram até nós, é um termo que era usado especialmente pelas crianças pequenas para dirigir-se a seu pai. Trata-se de um diminutivo carinhoso (algo como "papai") que ninguém se havia atrevido a empregar até então para dirigir-se a Deus.

José Antonio Pagola

Senhor, dá-me a graça de estar sempre atento às necessidades dos que estão à minha volta e de estender-lhes a mão com generosidade. Amém.

8 Julho

Hoje: *Dia do Panificador.*

Santos do dia: *Adriano III / Raimundo de Tolosa / Procópio.*

Nossa paz interior vem de Jesus e a paz que Ele nos deixou alcança-se pela reconciliação com Deus e com os irmãos. A maior prova dessa paz se dá pela aceitação do perdão que Ele nos oferece e, portanto, todo aquele que acolher a boa-nova do amor-perdão de Deus em Cristo não pode deixar de celebrar a construção da paz entre os seres humanos.

Regina Helena Mantovani

Senhor, ampara-me diante do desânimo gerado por meus pecados, pois preciso de tua misericórdia e do teu perdão para viver feliz. Amém.

9 Julho

Hoje: *Dia da Revolução Constitucionalista.*

Santos do dia: *Paulina / Agostinho Zhao Rong / Nicolau Pick / Everilda / Anatólia.*

Nada é mais ofensivo do que topar com a frieza e o distanciamento, frente a alguém com quem procuramos reconciliar-nos. O coração sente-se ferido até às profundezas de suas profundezas. Sucede mesmo que o perdão estimula, naquele que o recusa perdoar, um cálculo cínico: por que não dilatar o meu projeto, mesmo arriscando-me a passar por cima do corpo do outro, já que, de qualquer forma, ele me perdoará por causa de Cristo? Caso o outro persista em sua recusa, será que Deus não atenderia à oração? Na realidade, Deus já nos atendeu "em nós mesmos", sua resposta foi dada "dentro de nós", ele já reconciliou em nós.

Irmão Roger de Taizé

Santa Paulina, foste devotada ao serviço de ajuda aos excluídos; desperta em mim a mesma disposição para ajudar aqueles que necessitam. Amém.

10 Julho

Hoje: *Dia Internacional da Pizza.*

Santos do dia: *Verônica Giuliani / Bvs. Francisco, Abdul-Muti e Rafael Massabki / Maurício.*

O conselho e a fortaleza: dons do Espírito Santo

Conselho: sabedoria para guiar, orientar e discernir o bem do próximo. É essencial para pais, mestres e demais educadores da pessoa humana.

Fortaleza – a santa força do coração: para sermos fortes nas tentações e nas lutas contra o mal. Seu antônimo é a tibieza. Sem a fortaleza nos tornamos incapazes de lutar pelo Reino de Deus.

Pe. Luiz Carlos do Nascimento

Espírito Santo, semeia o dom da fortaleza em nosso coração para que, fortalecidos no Senhor, possamos viver conforme a sua Palavra. Amém.

11 Julho

Hoje: *Dia Mundial da População.*
Santos do dia: *Bento / Olga / Olivério Plunket.*

Ser paciente

O mundo pode desabar ao seu redor, mas você tem que ser paciente e compreensivo, pois, se assim não for, você será levado juntamente com os escombros desta tragédia. Na realidade, não é o mundo que está desabando, mas sim um grande número de pessoas está se implodindo, destruindo todos os seus valores interiores, deixando-se corroer pela ganância, pela arrogância, pela falta de respeito pelo seu próximo...

Canalizem suas forças para a aquisição de paz interior, pois em paz suas forças se multiplicarão.

José Renato Sindorf

São Bento, que seguindo teu exemplo eu saiba orar e trabalhar, contemplar e agir, buscar a Deus com todo meu ser e viver com moderação. Amém.

12 Julho

Hoje: *Dia do Engenheiro Florestal.*
Santos do dia: *Epifânia / João Jones / João Wall.*

Tudo que temos de fazer na terra é amar a Deus. E para que não ficássemos indecisos, sem saber como começar, Jesus nos disse que o único jeito, a receita única, o caminho único era o de nos amarmos uns aos outros.

Esta caridade [...] é a única porta, a única entrada para o amor de Deus. Confinam com essa porta todos os caminhos, que são as virtudes. No fundo, todas só existem para nos conduzir mais depressa, mais alegres, com mais segurança, até lá.

Madeleine Delbrêl

Senhor, derrama em meu coração o teu Amor-caridade, para que eu saiba acolher os irmãos e viver com eles na solidariedade, partilha e amor. Amém.

13 Julho

Hoje: *Dia do Engenheiro Sanitarista e dia Internacional do Rock.*

Santos do dia: *Henrique II / Angelina de Marsciano / Joel.*

Nosso repouso consiste em nos alegrarmos com a felicidade infinita de Deus! E, baixando o olhar, alegrarmo-nos com nossas cruzes... desejando sempre mais. Deste modo temos a felicidade de imitá-lo e de provar-lhe nosso amor! Coisas tão caras a um coração que ama! Nem a felicidade, nem Deus, nem as cruzes, jamais nos falarão...

Bv. Charles de Foucauld

Senhor, sou feliz porque estou certo do teu Amor. Guarda-me da maldade alheia e da maledicência para que minha alma não se entristeça. Amém.

14 Julho

Hoje: *Dia Mundial do Hospital, dia Internacional da Liberdade e dia do Propagandista.*

Santos do dia: *Camilo de Lellis / Francisco Solano / Gaspar de Bene.*

Convém lembrar: quem pouco semeia pouco também colhe. Quem semeia com abundância também colhe com abundância. Cada um dê segundo se propôs em seu coração, não de má vontade nem constrangido, pois Deus ama a quem dá com alegria. Deus tem o poder para vos enriquecer de todo gênero de bens, a fim de que, tendo sempre e em tudo o necessário, ainda vos sobre muito para toda boa obra, segundo está escrito: Repartiu generosamente, deu aos pobres; a sua justiça permanece para sempre.

2Cor 9,6-9

Senhor, criaste-nos livres para viver na liberdade; perdoa-nos quando trocamos essa liberdade pela prisão do dinheiro e da sede de poder. Amém.

15 Julho

Hoje: *Dia Nacional do Homem.*

Santos do dia: *Boaventura de Albano / Justa / Rosália.*

Coragem diante do amigo

A escritora Ingeborg Bachmann fala sobre uma coragem que parece especialmente difícil para a maioria das pessoas: a coragem de ser fiel a si mesmo diante de amigos e conhecidos. O que precisamos ter é, em suas palavras, "coragem diante do amigo". Muitas vezes não nos damos ao trabalho de contradizer um amigo. Desejamos harmonia. Para não colocar a amizade em jogo, preferimos não nos posicionar. Às vezes nós nos dobramos. No entanto, a coragem é o oposto de dobrar-se. A pessoa corajosa se mantém de pé, firme. Uma amizade só é estável quando os amigos são fiéis a si mesmos e, às vezes, contradizem um ao outro. É necessária a coragem diante do amigo. Devo ter a coragem de ser eu mesmo, totalmente, ainda que o amigo não o entenda no momento.

Anselm Grün

Jesus, nem sempre tenho paciência com meus familiares e amigos, perdoa-me e dá-me um coração mais compassivo e paciente. Amém.

16 Julho

Hoje: *Dia do Comerciante.*

Santos do dia: *Nossa Senhora do Carmo / Maria Madalena Postel / Vitalino / Hilarino.*

Maria Santíssima, a Rainha dos mártires! Grande Mãe, quanto ela nos lembra e quanto ela nos pede! A injustiça social, o grande mal dos nossos dias, causa inúmeras vítimas da fome. Uns não sabem como esbanjar o seu dinheiro, outros lutam pela sobrevivência. É o próprio ser humano que, com sua ganância, transforma o mundo numa espécie de "inferno" de desgraças e sofrimentos.

Frei Wenceslau Scheper, OFM

Jesus, ajuda-nos a reavaliar nossos valores e modificar nossas atitudes, conscientizando-nos para evitar o consumismo e o desperdício. Amém.

17 Julho

Hoje: *Dia do Protetor da Floresta.*

Santos do dia: *Inácio de Azevedo / Aleixo / Generosa / Marcelina.*

Deus no centro de sua ação

Não posso inventar coisas novas, tais como aviões que deslizam sobre asas de prata. Mas hoje, ao despertar, uma ideia maravilhosa me veio à mente. Ei-la: um segredo está escondido em minha mão; minha mão é imensa, imensa, por causa desse plano de Deus que repousa em minha mão, conhece este plano secreto das coisas que Ele quer fazer, no mundo, servindo-se de minha mão.

Togohiko

Pai, afasta de mim a solidão e faze com que eu viva sempre na alegria, ciente de amar e ser amado por ti e por Jesus, meu Salvador. Amém.

18 Julho

Hoje: *Dia Nacional do Trovador.*

Santos do dia: *Arnolfo / Estácio / Frederico de Utrecht.*

Quando temos em nossas mãos algo muito precioso, nosso cuidado deve ser redobrado. Quem já brincou com bolinhas de sabão sabe quanto elas são sensíveis ao toque. Elas devem ser admiradas por sua leveza enquanto são levadas pelo vento. Quem tenta reter para si, destrói-as. Penso que as pessoas merecem atenção semelhante, principalmente as que nos são mais "caras". Tratar com atenção é contemplar em sua plenitude, não é trancar em uma redoma de cristal, mesmo que esteja sobre um "altar de ouro". Quem ama fica feliz em ver aflorar os talentos, florindo com sua criatividade. Quem ama sabe que tem consigo "um tesouro" muito precioso, por isso deve tratar com muito carinho.

José Irineu Nenevê

Senhor, que eu seja uma pessoa de bom coração e de boa índole, atenta e pronta a socorrer o meu próximo sem interesse ou discriminação. Amém.

19 Julho

Hoje: *Dia do Futebol.*
Santos do dia: *Áurea / Arsênio / Adolfo.*

A piedade e o temor de Deus: dons do Espírito Santo

Piedade: a doce força de amar a Deus, ter gosto pela oração, a religião e todas as coisas divinas. Sem esse dom não conseguimos entrar em comunhão com Deus.

Temor de Deus: não confundir com o medo. É o temor de não amar a Deus como convém, isto é, sobre todas as coisas. Esse dom nos conduz a andarmos sempre com profundo respeito na presença de Deus que se encontra em toda parte.

Pe. Luiz Carlos do Nascimento

Espírito Santo, dá-nos o temor de Deus, para que não tenhamos medo, mas nos abandonemos com humildade e confiança nas mãos do Senhor. Amém.

Hoje: *Dia Internacional da Amizade.*
Santos do dia: *Apolinário / Aurélio de Cartago / Severa / Paulo da Espanha.*

20 Julho

O valor da amizade

Palavras agradáveis multiplicam os amigos, e fala amável encontra acolhida. Tenha muitos conhecidos, mas um só confidente entre mil. Se você quiser um amigo coloque-o à prova, e não vá logo confiando nele. Porque existe amigo de ocasião, que não será fiel quando você estiver na pior. Existe amigo que se transforma em inimigo, e envergonhará você, revelando suas coisas particulares. Existe amigo que é companheiro de mesa, mas não será fiel quando você estiver na pior. Amigo fiel é proteção poderosa, e quem o encontrar, terá encontrado um tesouro. Amigo fiel não tem preço, o seu valor é incalculável. Amigo fiel é remédio que cura, e os que temem o Senhor o encontrarão (Eclo 6,5-10.14-16).

Pe. Luiz Carlos do Nascimento

Meu Deus, permita que eu saiba sempre respeitar meus amigos e retribuir os gestos de amizade que me são dedicados. Amém.

21 Julho

Santos do dia: *Lourenço de Brindisi / Praxedes / João da Síria.*

Viver o dia a dia

Uma pessoa amiga tem um quadro em sua casa que diz assim: "hoje é o primeiro dia do resto da minha vida". Acho muito bonito, e, toda vez que vou a sua casa, olho este quadro, e na sua singeleza vejo que ensina muita sabedoria. É preciso viver cada momento como se fosse o último. Abrace cada pessoa, como se fosse uma despedida. Nunca se esqueça de que somos seres-para-a-morte. Hoje estamos aqui, mas não sabemos como será o dia de amanhã. Viver assim é ser realista e concreto. A vida prática exige a compreensão da vida tal qual ela é, sem falsidades, mentiras ou aparências. Afinal, como diz o ditado popular: "o dia de amanhã a Deus pertence". Tenho certeza que, compreendendo a vida deste modo, você vai viver mais e melhor.

José Trasferetti

Pai, tem compaixão quando minha vida tomar rumo incerto, toca meu coração e me ilumina para que eu retorne ao caminho que leva a ti. Amém.

Santos do dia: *Maria Madalena / José da Palestina / Felipe Evans.*

22 Julho

Já que a felicidade e a eficiência dependem da espécie de pensamentos que mantemos, é absolutamente impossível ser feliz se nossos pensamentos são produtores de infelicidade. Um dos homens mais sábios que o mundo conheceu, Marco Aurélio, disse: "A vida de um ser humano é aquilo que seus próprios pensamentos constroem".

Norman Vincent Peale

Santa Maria Madalena, fiel discípula de Jesus, ajuda-me a amar e servir ao Senhor com a mesma intensidade para poder contemplá-lo. Amém.

23 Julho

Hoje: *Dia do Policial Rodoviário Federal.*

Santos do dia: *Brígida / Rômula / Erondina.*

Julgar os outros faz-nos não apenas inquietos, mas também cegos para nossas próprias faltas. O silêncio no olhar os outros torna possível um conhecimento mais claro de nós mesmos, permite-nos entender o mecanismo da projeção com que transferimos nossos próprios erros para os outros, com isto tornando-nos incapazes de descobri-los em nós.

Anselm Grün

Jesus, faz que eu cultive a virtude da prudência para jamais ferir os meus irmãos e irmãs com palavras, gestos, ações ou omissões. Amém.

24 Julho

Santos do dia: *Charbel Makhluf / Ursino / Niceta / Luísa de Saboia.*

Um louvor de glória: é uma alma que contempla a Deus, na fé e na simplicidade; é um reflexo do Ser de Deus. É como um abismo sem fundo, no qual ele pode derramar-se, expandir-se. É também como um cristal, através do qual Deus pode irradiar e contemplar todas as suas perfeições e o seu próprio esplendor. Uma alma que permite, deste modo, ao Ser divino satisfazer nela sua necessidade de comunicar tudo quanto ele é e tudo quanto possui, é realmente o louvor de glória de todos os seus dons.

Elisabete da Trindade

Deus de todos nós, infunde em nós a tua graça divina, para que amemos nossos semelhantes e te louvemos e agradeçamos. Amém.

25 Julho

Hoje: *Dia do Motorista, dia do Escritor e dia do Trabalhador Rural.*

Santos do dia: *Tiago Maior, apóstolo / Cristóvão / Valentina.*

Não ajunteis riquezas na terra, onde a traça e a ferrugem as corroem, e os ladrões assaltam e roubam. Ajuntai riquezas no céu, onde nem traça nem ferrugem as corroem, onde os ladrões não arrombam nem roubam. Pois onde estiver vosso tesouro, aí também estará o coração. O olho é a lâmpada do corpo. Se o teu olho for sadio, todo o corpo ficará iluminado. Mas se teu olho estiver doente, todo o corpo ficará na escuridão. Pois, se a luz que está em ti for escuridão, como não será a escuridão?

Mt 6,19-23

São Tiago, companheiro fiel e constante de Jesus em sua caminhada, ilumina o caminho da minha vida para que jamais me afaste do Senhor. Amém.

26 Julho

Hoje: *Dia dos Avós e Bisavós.*

Santos do dia: *Joaquim / Ana / Pastor.*

O amor não pode envelhecer. Nem pode tornar-se rotina. À sua raiz devem estar sempre a verdade e a justiça, e na sua manifestação, a aurora da esperança. Um dia deve ser melhor do que o outro e a certeza do crescimento na comunhão é garantia de que o amor é autêntico.

Dom Paulo Evaristo Arns

Ó Santa Ana e São Joaquim, avós do Menino Jesus, pedimos que intercedais por todos os avós para que tenham saúde e paz. Amém.

27 Julho

Hoje: *Dia Nacional de Prevenção de Acidentes de Trabalho e dia do Motociclista.*

Santos do dia: *Pantaleão / Natália / Aurélio de Córdova / Maria Madalena Martinengo.*

Jesus demonstrou intimidade desejada por Deus quando o chamou de *Abba* (paizinho), coisa inadmissível na antiga aliança. A grande surpresa é que nós fomos ensinados a chamar o nosso Deus de Pai. E quem o fez foi o próprio Jesus Cristo. E afirmando que é Pai nosso, estamos reconhecendo que é o Pai de todos nós, isto é, dos que creem em Jesus Cristo e nele foram batizados. É o reconhecimento do nosso convívio fraterno, entre irmãos, onde todos são filhos do mesmo Pai e com o direito de rezar: *Pai nosso!*

Regina Helena Mantovani

Deus Pai, meu querido Paizinho, venha agir em minha vida neste dia, ilumina-me em minhas decisões. Amém.

28 Julho

Hoje: *Dia do Agricultor e dia Mundial de Combate à Hepatite.*

Santos do dia: *Sansão / Eustádio / Décio.*

Aceite novas ideias

Ouça. Pondere. Discuta. Não seja radical, afinal ninguém é dono da verdade. Pense que muitas ideias valiosas nascem de um simples ponto de vista. Seja flexível. Conflitá-las é natural e faz parte do jogo democrático. Ouça-as com paciência. Vale mais perder tempo numa ideia útil do que a rapidez de mil ideias fracassadas. Seja receptivo, não amordace o pensamento alheio, pois de um lodo de más ideias pode brotar uma pérola. Dê atenção ao que lhe dizem, extraia o que for importante e descarte o que não tiver valor. E ainda mais num ambiente de trabalho, quando da conjunção delas pode resultar a diminuição de custos e o aumento da produtividade. Fale, ouça, faça-se ouvir. Pense, por fim, que as boas ideias devem ser aproveitadas como chuva no deserto!

Inácio Dantas

Senhor, os agricultores plantam os alimentos que estão em nossas mesas. Proteja-os dos aproveitadores, recompensa-os com fartura. Amém.

29 Julho

Santos do dia: *Marta / Olavo / Beatriz de Roma.*

Deus é imprevisível; ao mesmo tempo nos abraça com o calor e carinho de uma mãe e nos chama a atenção para que nos convertamos, permitindo-nos sofrimentos para que, debaixo da dor, possamos reconhecer que é necessário voltar-nos para Ele, porque só Ele é o único Deus vivo e verdadeiro. É preciso fazer a leitura da Bíblia a partir da janela da contemplação e da experiência e crer que não há felicidade longe dele.

Frei Patrício Sciadini, OCD

Senhor, inunda meu coração com a serenidade que vem do teu Espírito e me faz viver embalado pela paz e pela docilidade da tua presença. Amém.

Hoje: *Dia Nacional do Cartaz.*
Santos do dia: *Pedro Crisólogo / Everaldo Hanse / Julita.*

30 Julho

Compaixão e sabedoria

A humanidade genuína só surge quando nós, em vez de julgar, sofremos com o outro, porque seus erros são um espelho para os nossos próprios erros. A compaixão não é um sentimento que me faz achar que sou melhor do que os outros; ela é o sentimento que me coloca no lugar do outro e me faz sofrer junto dele, porque o seu sofrimento é o meu. As suas fraquezas são minhas; os seus erros também estão em mim. E a sua dor me faz lembrar de minhas próprias dores. Na compaixão não vou somente ao encontro do outro, mas vou sempre também ao encontro de mim mesmo.

Anselm Grün

Pai, ajuda-me a compreender os sentimentos e reações dos irmãos, imaginando-me nas mesmas circunstâncias, para viver na tua paz. Amém.

31 Julho

Santos do dia: *Inácio de Loyola / Fábio / Demócrito.*

Tornar-se gente

Não! Deus não cria a desgraça! Mas na desgraça, no sofrimento e na dor, posso reconhecer a presença daquele que é em todas as coisas o criador e salvador de minha vida. Ele é sempre maior do que aquilo que minha fé pode compreender dele e exprimir. Ele é maior do que as maiores felicidades e mais insondável do que as maiores desgraças. Ele está na luz: é minha alegria nos dias claros. Ele está na escuridão: é minha força nos dias sombrios.

A glória de Deus é sua fidelidade a seu povo. Sua onipotência é seu amor por todos os seres humanos. Seu poder transforma os corações de pedra em corações de carne, capazes por sua vez de amor e fidelidade.

Se Deus se faz ser humano, é para nos tornar semelhantes à humanidade de seu Filho. Sua palavra é como porta aberta para a verdade de toda vida. E todos os seus gestos são generosidade e dom de si.

Tornar-se um homem verdadeiro, no encontro com Deus e os outros, é confessar de fato que o Deus fiel e bom é o Único Senhor.

François Arnold et al.

Santo Inácio de Loyola, faze com que eu tenha um coração puro e disponível, preparado para perceber os sinais de Deus em minha vida. Amém.

Agosto

1 Agosto

Hoje: *Dia Mundial da Amamentação e dia do Selo Postal Brasileiro.*

Santos do dia: *Afonso Maria de Ligório / Esperança / Caridade.*

Vocação para ser e fazer feliz

Para que Deus nos chama? Fácil resposta: Ele nos chama para realizar o seu Reino, cumprindo sua vontade nesta terra! Tudo certo, é claro! Mas há um aspecto que fica obscurecido se não compreendemos bem quem é nosso Deus: a sua suprema vontade é a realização plena do ser humano! Sua glória é a vida do homem e da mulher! Portanto, a vocação humana consiste, sobretudo, em ser e fazer feliz!

Pe. Alexsander Cordeiro Lopes

Pai, que nos chamaste para sermos sal da terra e luz do mundo, livra-nos da vaidade e da presunção para que nosso "sim" seja fiel e sincero. Amém.

Santos do dia: *Eusébio de Vercelli / Pedro Julião Eymard / Teodata.*

2 Agosto

Uma conversa saudável sobre a culpa e sobre os sentimentos de culpa é a Confissão, que é, desde a sua origem, um sacramento de libertação espiritual. Ela deve nos ajudar a libertar-nos de nossa culpa e de nossos sentimentos de culpa. Simplesmente não me torno livre de meus sentimentos de culpa quando alguém me diz: "Deixa pra lá. Isso não é tão ruim". Desse modo não me sinto levado a sério em meu sentimento de culpa. Tampouco ajuda quando alguém me diz: "Deus já te perdoou. Não pense mais nisso". Os sentimentos de culpa estão tão profundamente ancorados em nós que é necessário um ritual que penetre profundamente a nossa alma.

Anselm Grün

Senhor, tem misericórdia de mim, quando a intenção duvidosa ou indigno apelo me desviarem do caminho que leva a ti; perdoa-me e reconduz. Amém.

3 Agosto

Hoje: *Dia do Tintureiro e dia do Capoeirista.*

Santos do dia: *Gamaliel / Nicodemos / Germano de Auxerre.*

Cultive grandes sonhos em sua vida. Ame sua vida com todo o seu ser. Viva amando no serviço alegre e generoso. Acolha seu passado: nele muitas experiências você viveu. Aprenda de seu passado a maneira mais intensa de ser, de viver, de se doar. A maneira mais autêntica de amar. Não tenha medo do presente, do momento presente de sua vida! Ele, quem sabe, é o momento mais importante de seu viver. Você sabe e já experimentou muitas vezes que as superações e as vitórias foram muito mais fortes e constantes que os fracassos. Renove todos os dias a esperança. Espere e faça acontecer o que é agradável aos olhos de Deus e que traga mais vida a todos.

Canísio Mayer

Deus, todo-poderoso, que eu consiga vencer meus medos por tua graça. Dá-me força para superar os obstáculos. Amém.

4 Agosto

Hoje: *Dia do Padre.*

Santos do dia: *João Maria Vianney (Cura d'Ars) / Lugaido / Iá.*

O meio de sermos felizes

Depois de lavar os pés dos discípulos, Jesus vestiu o manto, sentou-se de novo e perguntou: "Vocês compreenderam o que acabei de fazer? Vocês dizem que eu sou o Mestre e o Senhor. E vocês têm razão; eu sou mesmo. Pois bem, eu, que sou o Mestre e o Senhor, lavei os seus pés; por isso vocês devem lavar os pés uns dos outros. Eu lhes dei um exemplo: vocês devem fazer a mesma coisa que eu fiz. Se vocês compreenderem e praticarem isso, serão felizes".

Adaptado de Jo 13,12-15.17

Pai de Misericórdia, nós te damos graças por todos os sacerdotes que chamaste e que vivem com lealdade sua vocação. Dá-lhes tua bênção. Amém.

5 Agosto

Hoje: *Dia Nacional da Saúde.*
Santos do dia: *Cassiano / Emídio / Osvaldo.*

O melhor bem que fazemos a nós mesmos é não permitir que, de um dia para o outro, permaneça em nosso coração qualquer ressentimento. O perdão virou objeto de estudo e descobriu-se que 50% das doenças são evitadas quando a pessoa não guarda rancor ou angústia (estudo da *Yale University*, 2004). O perdão é tão nobre que está contido na oração do Pai-nosso, "perdoai as nossas ofensas, assim como nós perdoamos", ou seja, seremos perdoados na razão direta de nosso perdão. Só quem é muito orgulhoso é que guarda mágoas no coração. Quem aprendeu a perdoar e não guarda rancor, seu semblante é suave e seu espírito é alegre.

José Irineu Nenevê

Senhor, derrama tua graça para que eu tenha saúde e disposição por toda vida. Livra-me das doenças do corpo, da mente e da alma. Amém.

6 Agosto

Hoje: *Transfiguração do Senhor.*
Santos do dia: *Felicíssimo / Agapito / Magno.*

Se seguirmos a Cristo, cedo ou tarde temos de arriscar tudo para tudo possuir. Temos de jogar com o invisível e arriscar tudo que podemos ver, sentir e experimentar. Mas sabemos que vale a pena arriscar, porque nada há de menos seguro do que o mundo passageiro. "Pois a figura deste mundo passa" (1Cor 7,31).

Thomas Merton

Jesus, torna-me cheio de coragem e fé, não para lutar uma luta inglória, mas para vencer os meus medos e romper a inércia que eles provocam. Amém.

7 Agosto

Santos do dia: *Sisto II / Caetano / Vitrício.*

Para rezar o Pai-nosso é necessário despertar em nós este "espírito de filhos", falar com Deus com segurança e confiança de filhos, fazer desaparecer todo temor, abandonar-nos com alegria em Deus, nosso Pai querido. Esta é a grande novidade de Jesus: "A todos que creem em seu nome, deu o poder de se tornarem filhos de Deus" (Jo 1,12). Isto que hoje escutamos, talvez como algo "normal", era sublinhado com alegria e assombro nas primeiras comunidades cristãs: "Vede com que grande amor o Pai nos amou para sermos chamados de filhos. E nós o somos de fato!" (1Jo 3,1).

José Antonio Pagola

Senhor, meu coração se rejubila pelos dons que de ti recebi; eu te agradeço pelas bênçãos recebidas e pela alegria de ser amado por ti. Amém.

Santos do dia: *Domingos / Emiliano / Miro.*

8 Agosto

Escolher Cristo! Ele nos coloca diante duma alternativa: "Quem quiser salvar sua vida perdê-la-á; quem der sua vida por amor de mim encontrá-la-á". Mas Ele não impõe a escolha. Deixa a cada um a liberdade de escolhê-lo ou rejeitá-lo. Nunca Ele constrange. Faz dois mil anos que, manso e humilde de coração, deixa-se ficar simplesmente à porta de todo o coração humano e bate: "Tu me amas?" Quando temos a impressão de que a nossa capacidade de lhe responder esmorece, só nos resta chamá-lo: "Dá-me, ó Cristo, que eu me dê, que eu descanse em ti, de corpo e alma".

Irmão Roger de Taizé

São Domingos, que viveste com humildade e dedicado ao estudo da Palavra, faze com que eu ouça o Senhor e viva com coerência a minha fé. Amém.

9 Agosto

Hoje: *Dia Internacional dos Povos Indígenas.*

Santos do dia: *Teresa Benedita da Cruz (Edith Stein) / Nateu / Rústico.*

José, pai de Jesus

No mês de agosto recordamos nossos pais! Homens que, com seu jeito de ser, moldaram-nos como pessoas! Somos também convidados a pensar sobre o papel do homem em nossa sociedade. Precisamos estar preocupados em ajudar os meninos, rapazes e homens a refletirem sobre seu papel masculino na sociedade, na Igreja e, de modo especial, na família como educadores para os valores do Reino! Tomemos como modelo aquele que é o patriarca por excelência em nossa Igreja: São José!

Pe. Alexsander Cordeiro Lopes

Bom Pastor, abençoa os pais, ajuda-lhes a conduzir seus filhos nos passos de Jesus, para que não se desviem do seu caminho. Amém.

10 Agosto

Santos do dia: *Lourenço / Deusdedit / Mercês.*

Seguramente três a quatro de cada cinco famílias têm dificuldades de rir e conversar à mesa. De cada cem filhos, noventa têm dificuldades de dialogar com seus pais. Continuamos a não entender as palavras e os códigos mais elementares de quem vive conosco. Criamos um ruído infernal na nossa própria comunicação com eles e com Deus. A mentira arrasou por séculos a comunicação humana. Agora que atingimos um progresso espantoso da técnica, a mentira põe em risco toda uma civilização. Talvez o código mais cruel que se criou foi o da mentira partilhada por uns poucos espertos para enganar a grande maioria.

Pe. Zezinho, SCJ

Jesus, ajuda-me a manter a discórdia longe do meu lar. Que eu pratique o exercício da fraternidade sempre. Assim seja. Amém.

11 Agosto

Hoje: *Dia da Televisão, dia do Advogado, dia do Estudante, dia do Garçom e dia da Consciência Nacional.*

Santos do dia: *Clara de Assis / Susana / Lélia.*

Sobre liberdade e responsabilidade

Um jovem estudante passou o dia inteiro correndo atrás de seu mestre fazendo-lhe perguntas para as quais ele queria de qualquer maneira uma resposta: "Mestre, numa situação de emergência, estando eu com fome e não tendo nada para comer, me seria lícito roubar algo?" "Mestre, tenho que fazer o que meus pais me dizem?" "Mestre, posso confiar neste ou naquele professor?" O mestre permaneceu em silêncio diante de todas estas perguntas. No fim do dia ele disse: "Em você mesmo está a resposta para cada pergunta que fez, se você soubesse como procurá-las".

Anselm Grün

Senhor, os estudantes precisam de boas escolas e estudo de qualidade. Faze que os governantes se sensibilizem e respeitem esse direito. Amém.

12 Agosto

Hoje: *Dia Internacional da Juventude, dia Nacional das Artes e dia Nacional de Luta Contra a Violência no Campo e por Reforma Agrária.*

Santos do dia: *Joana Francisca de Chantal / Graciliano / Felicíssima / Hilária.*

Sem os jovens, jamais a Igreja poderá ser jovem. Sem a Igreja, dificilmente os grupos jovens encontrarão consistência e perseverança em sua ação em favor da sociedade. Não se trata de uma interação Igreja-jovem, jovem-Igreja, e sim de uma identidade, isto é, Igreja-sempre-jovem. Jovens sempre reunidos em torno de um ideal que possa levá-los a superarem-se a si mesmos por Cristo.

Dom Paulo Evaristo Arns

Pai Eterno, derrama teu Espírito sobre os jovens, mantendo-os no caminho da paz e do bem. Em nome de Jesus. Amém.

13 Agosto

Hoje: *Dia do Economista, dia dos Encarcerados e dia do Canhoto.*

Santos do dia: *Ponciano / Hipólito / Máximo / Bv. Dulce dos Pobres.*

Devemos prestar atenção àquilo que contemplamos, mesmo que seja para arrancá-lo. Quando desejarmos eliminar uma paixão ruim, uma tendência má, devemos projetar imediatamente em seu lugar uma paixão ou uma tendência em substituição, com igual vigor, e demonstrar uma tenacidade a toda prova na continuidade do esforço: arrancar e substituir, até que a paixão ou a tendência acabem por ceder ao novo hábito.

Marcelle Auclair

Jesus Amado, eu te peço que olhes pelos presos, os solitários, os enfermos e que nos ensine a perdoar as pessoas por seus erros. Amém.

Hoje: *Dia do Protesto e dia da Unidade Humana.*

Santos do dia: *Maximiliano Maria Kolbe / Atanásia / Eberaldo.*

14 Agosto

A família é o espaço em que mais se ama e mais se sofre. Daí a importância de retomar a história familiar para perceber nela o bom, os valores, os condicionamentos, as luzes, os percalços... Essa constatação e conhecimento são fundamentais para uma aceitação e acolhida de tudo o que motiva, alegra e condiciona a nossa vida.

Canísio Mayer

Senhor, nós te louvamos pela vida em família. Agradecemos a vida de nossos entes queridos e colocamos a vida de todos em tuas mãos. Amém.

15 Agosto

Hoje: *Assunção de Nossa Senhora (celebração móvel). Dia do Solteiro.*

Santos do dia: *Tarcísio / Alípio / Arnulfo.*

Deus fez a maravilha de enriquecer Maria, acima de todos os anjos e santos, de tal abundância de todas as graças celestiais hauridas dos tesouros da divindade, e toda bela, imune de toda a mancha do pecado, apresenta tal plenitude de inocência e santidade, que não se pode conceber maior abaixo de Deus, nem ninguém a pode compreender plenamente senão Deus.

Papa Pio IX

Ó Pai, ajuda-nos a manter a união entre nossos familiares. Permita-nos servir de exemplo para aqueles com quem convivemos. Amém.

16 Agosto

Santos do dia: *Estêvão da Hungria / Roque / Alsácio.*

Batizados em nome da Santíssima Trindade

Ao longo da história, a humanidade encontrou muitas maneiras diferentes para falar dos seus deuses e de suas deusas. Mas, como eles e elas não eram verdadeiros, mas meras projeções dos seres humanos, com suas grandezas e fraquezas, ninguém nunca chegou a desconfiar de como era o Deus único e verdadeiro. Foi preciso que o próprio Deus revelasse isto a nós através das Sagradas Escrituras, e sobretudo através do seu próprio Filho, que se fez um de nós. Nosso Deus é Pai; nosso Deus é Filho; nosso Deus é Espírito Santo. E nós, pelo batismo, somos templos deste Deus que é uno e trino, que é o início e o fim de todas as coisas; este Deus que quer que estejamos com Ele, porque Ele sempre estará conosco.

Frei Antônio Moser, OFM

Trindade Santa, convivência da plena comunhão, afasta-me de tudo o que divide para que possa viver o cotidiano em união com os irmãos. Amém.

17 Agosto

Hoje: *Dia do Patrimônio Histórico.*

Santos do dia: *Beatriz da Silva / Servo / Mamede / Jacinto de Cracóvia.*

Para onde vou?

Para onde vou? Para o Sul ou para o Oeste? Três passos para frente ou para trás? Fico aqui ou sigo em frente? Vou, de fato, pelo caminho certo? Deveria ter decidido de maneira diferente? Às vezes penso que estou no caminho errado, que um outro teria sido melhor. As coisas poderiam ter sido mais fáceis! Teria sentido interromper meu caminho? Abandonar tudo agora? Ou, quem sabe, é este o caminho certo? Por tudo isso devo continuar minha caminhada, para descobrir o que procuro.

Laura Endres

Jesus, ilumina meus caminhos para que, sendo fiel ao meu batismo, eu ande sempre na tua presença, confiante, sem receio de tropeçar. Amém.

18 Agosto

Santos do dia: *Ângelo d'Agostini / Firmino / Helena.*

Pela fé, homens e mulheres consagraram sua vida a Cristo, deixando tudo para viver os segmentos do Senhor, promovendo a justiça e anunciando a libertação da opressão a todos (cf. Lc 4,18-19). Pela fé, no decurso dos séculos, homens e mulheres de todas as idades, cujo nome está escrito no Livro da vida (cf. Ap 7,9; 13,8), confessaram a beleza de seguir o Senhor Jesus nos lugares onde são chamados a dar testemunho de seu ser cristão: na família, na profissão, na vida pública, no exercício dos carismas e ministérios a que foram vocacionados.

***Carta Apostólica* Porta Fidei**

Pai, torna-me capaz de ser diligente ao atender o teu chamado; e que a presteza seja o sinal da minha disponibilidade para a missão. Amém.

19 Agosto

Hoje: *Dia Mundial do Fotógrafo e da Fotografia, dia Nacional do Historiador e dia do Ator.*

Santos do dia: *João Eudes / Sisto III / Luís de Tolosa.*

Aquele que tem a alma envenenada pelas recordações do passado deve procurar esquecer, senão a cadeia que arrasta lhe tirará a tranquilidade de alma que é indispensável para a vida em comum. Para certas pessoas temperamentais é uma arte bem difícil, razão demais para se exercitar nela, fazendo calar o coração que tanto se apega às recordações dolorosas.

Lucas

Senhor, que mesmo diante da dor mais profunda eu não me entregue ao sofrimento, mas busque em ti o consolo e a força para reagir. Amém.

Santos do dia: *Bernardo de Claraval / Samuel / Felisberto.*

20 Agosto

Nossa vocação não consiste simplesmente em ser, e sim em trabalhar em união com Deus na criação de nossa própria vida, nossa identidade, nosso destino. Somos seres livres e filhos de Deus. Quer isso dizer que não temos de existir passivamente, mas devemos participar ativamente da liberdade criadora de Deus em nossa vida e na vida dos outros, escolhendo a verdade. Falando com maior nitidez, diremos que somos até chamados a participar da ação criadora de Deus, criando a verdade de nossa identidade.

Thomas Merton

Bom Jesus, ilumina-me para dizer "não" quando necessário, não mentir e não prometer o que não posso cumprir. Amém.

21 Agosto

Hoje: *Dia da Habitação.*
Santos do dia: *Pio X / Ciríaca / Humbelina.*

O direito ao teto

O abrigo e o pão é um direito de cada um. Aquele que não tem com que se proteger dos olhares e das intempéries que o assaltam sucumbe aos assaltos do frio, do medo e da humilhação. Onde está a nossa morada, aí está a forma visível de nossa vida... Aí podemos encontrar o repouso e a refeição, coragem para o dia, e tempo para a reflexão, amizade e solidão nos momentos que convém. Quem não tem um teto, onde encontrará tudo o que o manterá no mínimo indispensável à sua dignidade humana?

François Arnold et al.

Deus Pai todo-poderoso, abençoa a minha casa e todos que nela moram. Que a alegria, a compreensão e a bondade sejam permanentes. Amém.

22 Agosto

Hoje: *Dia do Folclore e dia do Supervisor Educacional.*
Santos do dia: *Nossa Senhora Rainha / Felipe Benício / Fabriciano / André de Fiésole.*

Nenhuma graça vem do céu senão pelas mãos de Maria. Maria é aquela arca bem-aventurada onde quem nela se refugiar não sofrerá o naufrágio da eterna salvação. Maria é a rainha de misericórdia. Por que a Igreja a chama rainha da misericórdia? Para nos persuadir de que Maria abre os tesouros da misericórdia divina a quem ela quer, quando quer e como quer, de sorte que nenhum pecador se pode perder, quando Maria o toma sob sua proteção.

São Bernardo de Claraval

Nossa Senhora, rainha do universo, confiante na tua mediação eu te peço que ajudes o mundo a encontrar a paz que vem da justiça social. Amém.

23 Agosto

Hoje: *Dia dos Artistas, dia do Aviador Naval, dia da Intendência da Aeronáutica.*

Santos do dia: *Rosa de Lima / Zaqueu / Tiago de Bevagna.*

A admissão da própria culpa pertence à dignidade do ser humano e é uma expressão de liberdade. Quando amenizo minha culpa atribuindo-a a outros ou procuro subterfúgios, privo-me dessa dignidade, suprimo minha liberdade. Ao assumir a responsabilidade por meu fracasso recuso todas as tentativas de justificação e de acusação. Essa é a condição para que eu evolua interiormente como ser humano, para que rompa o cárcere da autopunição permanente e da auto-humilhação e me encontre.

Anselm Grün

Senhor Deus, cada um de nós recebeu teu chamado para uma missão. Faze que ninguém se omita e que todos assumam o lugar que reservaste. Amém.

24 Agosto

Santos do dia: *Bartolomeu, apóstolo / Emília / Maria Micaela.*

Se durante um longo período de tempo uma pessoa receia habitualmente alguma coisa determinada, há uma tendência para que aquele receio se faça realidade.

Por exemplo, se você receia malograr, e mantém constantes pensamentos de malogro, criará uma condição mental que é propícia a esse malogro. Fatores de sucesso criativos, positivos, são repelidos pela sua mente, já que ela está repleta de atitudes de derrota. Pelo contrário, se mantiver o pensamento de fé, o pensamento positivo, criará em torno de você mesmo uma atmosfera propícia ao sucesso, à saúde e ao bem-estar.

Norman Vincent Peale

São Bartolomeu, que viveste com retidão e fé, faze com que eu viva a Palavra e os valores do Reino, levando a minha fé a todos os cantos. Amém.

25 Agosto

Hoje: *Dia do Feirante e dia do Soldado.*

Santos do dia: *Luís de França / José de Calazans / Patrícia / Bv. Metódio.*

Levantando os olhos, Jesus viu os ricos depositando ofertas na caixa de esmolas. Viu também uma viúva pobre que depositava duas moedinhas, e comentou: "Em verdade vos digo que esta pobre viúva deu mais do que todos, pois todos eles deram, como oferta a Deus, do que lhes sobrava; ela porém, na sua pobreza, deu tudo que tinha para o sustento".

Lc 21,1-4

Jesus, Bom Pastor, ajuda-nos a sermos amigos dedicados para com aqueles que precisam de nós. Ensina-nos a nos doar mais ao próximo. Amém.

Santos do dia: *Joana Isabel / Zeferino / Isabel Richier.*

26 Agosto

O amor verdadeiro é graça, é só graça, é flor desabrochada de inigualável esplendor. Nele não há quaisquer sintomas de doença. Ciumeiras, desconfianças, controles e marcações, joguinhos pequenos e falsas encenações, esquecimentos propositais e exigências descabidas, desatenções egoístas e grosserias aparentemente engraçadas, às expensas da pessoa amada, são venenos que corroem as raízes do amor. Não passam de manifestações de carência e obsessão de posse. O amor não resiste longamente a estes descalabros. Amar – repetimos – é graça, é a maior de todas elas, tanto assim que a fé e a esperança terminarão. O amor, não! Ele é tão imortal quanto Deus.

Frei Neylor J. Tonin, OFM

Jesus, peço que me ajudes a me identificar com teus mandamentos para vivê-los, unido a ti e aos irmãos, no amor, num só coração. Amém.

27 Agosto

Hoje: *Dia Nacional do Psicólogo e dia do Corretor de Imóveis.*

Santos do dia: *Mônica / Eutália / Antusa Menor.*

A decepção com Deus é vivenciada por muitos cristãos esforçados porque, apesar de todos os seus esforços na oração e na meditação, não conseguem ter a experiência de contato com Deus. Ele não se mostra. Ele não fala. Eles têm a impressão de que Ele se mantém ausente. Gostariam de perceber a proximidade de Deus, mas não a sentem. Respondo o seguinte a essas pessoas esforçadas que estão decepcionadas: "Você anseia conhecer Deus. No seu anseio por Deus, Ele já está presente. Você não consegue perceber Deus, mas, no anseio por Deus, Ele já gravou um vestígio de sua presença em seu coração. Simplesmente sinta com mais atenção o seu anseio. Então você irá tocar o vestígio de Deus em seu coração. Isso já é alguma coisa".

Anselm Grün

Santa Mônica, mãe dedicada que jamais desistiu de seus filhos, ajuda todas as mães a terem o amor incondicional que vela pelos filhos. Amém.

28 Agosto

Hoje: *Dia do Bancário e dia da Avicultura.*

Santos do dia: *Agostinho de Hipona / Viviano / João III.*

A pura verdade é esta: o amor não é uma questão de se obter o que se deseja. Muito pelo contrário. A insistência em sempre ter o que se deseja, em sempre obter satisfação, em sempre ser saciado, torna o amor impossível. Para amar, você precisa sair do berço, onde tudo é "obter", e crescer para a maturidade da doação, sem se preocupar em obter alguma coisa especial em troca. O amor não é uma transação, é um sacrifício. Não é *marketing*, é uma forma de culto.

Thomas Merton

Santo Agostinho, tua vida mostra que nunca é tarde para a conversão; faze com que eu busque a conversão diária para alcançar a graça. Amém.

29 Agosto

Hoje: *Dia Nacional de Combate ao Fumo.*

Santos do dia: *Martírio de João Batista / Sabina / Niceias / Hipácio.*

Não queira "levar vantagem" em tudo. Tampouco gaste seu tempo orquestrando *formas* para esse fim. "Passar a perna" nos outros é querer colher o fruto sem ter plantado a semente. Não "puxe o bife maior para o seu prato". Aceite que sua parte é suficiente quando vier na proporção do que você investiu de si. Lembre-se de que do outro lado tem alguém que quer dividir com equidade. E quando a divisão é equânime não há discórdias e todos saem satisfeitos. Na vida, toda disputa deve ser realizada com lisura, regras claras e em condições de igualdade. Quando um se apropria da parte do outro o resultado é a desavença. Viva bem, sossegado, em paz. Respeite os limites dos outros e os seus limites serão respeitados!

Inácio Dantas

Senhor, desperta meu coração para compreender meus irmãos, além das diferenças de pensamentos, acima dos diversos comportamentos. Amém.

Santos do dia: *Adauto / Gaudêncio / Rosa de Santa Maria / Bv. Eustáquio van Lieshout.*

30 Agosto

A oração tende a ser uma das principais atividades que compõem a vida cristã, envolvida, como nós mesmos, na luta por uma sociedade mais justa à luz do Evangelho. Assim, a adesão pessoal a Deus, que constitui um ato de fé e se prolonga numa vida de comunhão, torna-se o grande desafio da catequese, que passa a ser uma educação da fé pela oração e na oração, isto é, pela comunhão com Deus na fé e no amor, marcada pela esperança e integrada no dia a dia.

Regina Helena Mantovani

Jesus, aumenta a minha fé, purifica-me, liberta-me da dúvida. Enche-me de luz para experimentar a alegria de amar-te e crer em ti. Amém.

31 Agosto

Hoje: *Dia Nacional do Nutricionista.*

Santos do dia: *Aristides / Raimundo Nonato / Amado.*

A vitória final

A vitória final é a vida no espírito. O espírito é infinito, eterno. Não tem tempo no tempo. O seguimento da vida no espírito representa um caminho de amor. Amor que perdoa e se subsiste pela eternidade. É como o canto dos pássaros no final da tarde, ou como o ressoar das rãs nas madrugadas.

A vitória final é viver fazendo o bem, na simplicidade mais simples do mundo. A palavra se fez carne e habitou entre nós. É preciso trabalhar para ganhar o céu dizem os místicos.

Como se trabalha para ganhar o céu? De que adianta ganhar o mundo inteiro, possuir todos os bens, todas as joias, acumular tesouros se nesta noite seu corpo seja sucumbido pela terra.

A vitória final sabe que o corpo morre, que tudo que é matéria acaba, que a vida prevalece no amor que se fez doação. Portanto, faça o bem, ame seu semelhante, abrace os pequenos e construa tesouros no céu que o ladrão não rouba nem a traça corrói.

José Trasferetti

Senhor, que a generosidade seja presente em todos os meus gestos, como sinal de amor, principalmente para aqueles que mais necessitarem. Amém.

Setembro

1 Setembro

Hoje: *Início da Semana da Pátria, dia Mundial de Oração pelo Cuidado da Criação e dia do Profissional de Educação Física.*

Santos do dia: *Josué / Vitório / Terenciano.*

O Evangelho é o livro da vida do Senhor. E foi escrito para que seja o livro de nossa vida. Não foi escrito para ser compreendido, mas para que nos aproximássemos dele como do umbral de um mistério. Não foi escrito para ser lido, mas para ser recebido por nós. Cada uma de suas palavras é espírito e vida. Ágeis e livres, para se precipitarem em nossa alma, só aguardam sua ânsia. Palavras vivas são, por si mesmas, um fermento inicial que invadirá nossa massa e a levedará com um novo modo de vida.

Madeleine Delbrêl

Pai, ajuda-nos a crer na mensagem do Evangelho, faze-nos seguir os teus mandamentos, principalmente amando o próximo como a nós mesmos. Amém.

2 Setembro

Hoje: *Dia do Florista.*

Santos do dia: *Bv. Apolinário Morel / Bv. Severino Girauld / Bv. João Francisco Burté.*

Ler todo dia um trecho do Evangelho

Ler todo dia um trecho do Evangelho. Recordem bem isso: ler todos os dias um trecho do Evangelho e aos domingos ir fazer a Comunhão, receber Jesus. Assim aconteceu com os discípulos de Emaús: acolheram a Palavra; partilharam a fração do pão e de tristes e derrotados que se sentiam tornaram-se alegres. Sempre a Palavra de Deus e a Eucaristia nos enchem de alegria. Lembrem-se bem disso! Quando você está triste, pegue a Palavra de Deus. Quando você está para baixo, pegue a Palavra de Deus e vá à missa no domingo fazer a Comunhão, participar do mistério de Jesus. A Palavra de Deus e a Eucaristia enchem-nos de alegria.

Papa Francisco

Jesus, eu te peço um coração leal aos valores do Evangelho, para que possa anunciar o teu Reino em toda parte do nascer ao pôr do sol. Amém.

3 Setembro

Hoje: *Dia das Organizações Populares, dia Nacional do Biólogo e dia do Guarda Civil.*

Santos do dia: *Gregório Magno / Aristeu / Basilissa.*

Não te deixes dominar pela tristeza e nem te aflijas em teus pensamentos. A alegria do coração é a vida do ser humano, a alegria aumenta os seus dias. Afasta tuas inquietações, consola teu coração, afasta para longe a tristeza, porque a tristeza matou a muitos e nela não há utilidade alguma.

Eclo 30,21-23

Jesus, faze com que encontremos no serviço doado a nossos irmãos a salutar saída da nossa solidão, do nosso frio e escuro isolamento. Amém.

Santos do dia: *Moisés / Vitálico / Marcelo.*

4 Setembro

Bem-aventuranças

Felizes os que têm espírito de pobre, porque deles é o Reino do Céu. Felizes os que choram, porque serão consolados. Felizes os mansos, porque possuirão a terra. Felizes os que têm fome e sede de justiça, porque serão saciados. Felizes os misericordiosos, porque alcançarão misericórdia. Felizes os puros de coração, porque verão a Deus. Felizes os pacificadores, porque serão chamados filhos de Deus. Felizes os que sofrem perseguição por causa da justiça, porque deles é o Reino do Céu. Felizes sereis, quando vos insultarem e perseguirem e, mentindo, disserem todo o gênero de calúnias contra vós, por minha causa. Exultai e alegrai-vos, porque grande será a vossa recompensa no céu; pois também assim perseguiram os profetas que vos precederam.

Mt 5,3-12

Senhor, Tu que és a verdade, ensina-me a viver na verdade para ser fiel ao teu amor e leal aos teus ensinamentos, hoje e sempre. Amém.

5 Setembro

Hoje: *Dia da Amazônia e dia do Irmão.*

Santos do dia: *Bertino / Eudócio / Justiniano / Teresa de Calcutá.*

Todos somos irmãos

Quem é meu irmão? É meu irmão aquele que me agride, aquele que me tenta, aquele que ri às minhas costas, aquele que zomba de minhas atitudes, aquele que me menospreza; é meu irmão aquele bêbado que se arrasta pelo chão, o viciado que não enxerga seu caminho, o pobre homem que não consegue sentir carinho; aquele que não me vê como irmão; aquele que não sabe quão importante é ter uma mão estendida; ou mesmo aquele que nada conseguisse fazer ou sentir, pois todos somos imperfeitos, mas que soubesse reconhecer, em silêncio que fosse, o fato de que todos somos irmãos.

José Renato Sindorf

Ó Pai, ajuda-me a enxergar que a diferença entre as pessoas me faz crescer e permita ver a ti, o totalmente Outro, que desejo encontrar. Amém.

6 Setembro

Hoje: *Dia do Alfaiate.*

Santos do dia: *Ledo / Mansueto / Beltrão.*

A oração é antes de tudo um ato de esperança que revela: fé na certeza do apoio divino no cumprimento de seu desígnio em relação a si mesmo, ao mundo e a nós mesmos e, por consequência, fé que implica louvor e ação de graças, num ato de amor, em que o sim a Deus é por toda a vida, para louvor e glória do Senhor até a vida eterna. Ora, se a esperança é a alma da catequese, a educação da fé parte do desejo de Deus, do desejo do bem, de um mundo justo e fraterno em que todos os seres humanos possam viver felizes.

Regina Helena Mantovani

Senhor Jesus, não permitas que eu desanime. Dá-me o sopro divino, pois o que me sustenta é a fé no nosso Pai, todo-poderoso. Amém.

7 Setembro

Hoje: *Dia da Pátria e Independência do Brasil e dia do Grito dos Excluídos. Feriado nacional.*

Santos do dia: *Regina / Clodoaldo / João de Nicomédia.*

Porque nada trouxemos para este mundo e nada podemos levar. Tendo alimento e vestuário, fiquemos satisfeitos. Os que desejam enriquecer caem na armadilha da tentação, em muitos desejos loucos e perniciosos que mergulham as pessoas na perdição e na ruína, porque a raiz de todos os males é a cobiça do dinheiro. Por causa dela muitos se extraviaram da fé e se atormentaram com muitos sofrimentos.

1Tm 6,9-10

Senhor, pedimos pelo Brasil, por nossos dirigentes e também pelo nosso povo. Traga paz à nação e fé à população. Amém.

8 Setembro

Hoje: *Natividade de Nossa Senhora. Dia Mundial da Alfabetização e dia Nacional de Luta por Medicamentos.*

Santos do dia: *Tomás de Vilanova / Adriano / Nestor.*

Estou sempre conhecendo pessoas que não conseguem ler a Bíblia porque sempre se deparam com palavras como condenação e inferno e acabam achando que estão condenadas. As palavras da Bíblia chamam-lhes a atenção para o seu medo do inferno e de sua própria tendência de autocondenação. Não posso ajudá-las dizendo que Deus é amoroso e humano. É que elas se afastaram dessas imagens de Deus. Nesse caso é melhor olhar com lucidez tais textos bíblicos sobre o inferno e sobre a condenação e entendê-los de uma maneira nova. Quando Jesus prega sobre o inferno, tratam-se de sermões de advertência. Jesus quer chamar nossa atenção para que vivamos lucidamente. É que nossa vida é cheia de valor e única. E Jesus quer nos libertar de caminhos que transformariam a vida neste mundo em um inferno.

Anselm Grün

Jesus, ilumina o meu caminho para que eu siga os teus passos, anunciando com a minha vida o teu Evangelho, sem esmorecer. Amém.

9 Setembro

Hoje: *Dia do Veterinário e dia do Administrador de Empresas.*

Santos do dia: *Pedro Claver / Tibúrcio / Cirano.*

O amor é um poder transformador de intensidade quase mística, que dota os amantes de qualidades e capacidades que jamais sonharam possuir. De onde vêm essas qualidades? Da valorização da própria vida aprofundada, intensificada, elevada, fortalecida e espiritualizada pelo amor. O amor não é só uma maneira especial de estar vivo, é a perfeição da vida. Aquele que ama está mais vivo e é mais real do que era quando não amava.

Thomas Merton

Deus Pai, que os casais compreendam que amar significa respeitar o companheiro em todas as fases da vida e em todas as relações. Amém.

10 Setembro

Hoje: *Dia Mundial de Prevenção do Suicídio.*

Santos do dia: *Sóstenes / Jáder / Cândida Menor.*

É difícil para quem vive na escuridão entender a luz. Por que cinco minutos antes de uma prova parecem durar mais do que cinco horas junto de quem amamos? Porque nossa postura é diferente em cada situação. Assim o tempo torna-se relativo em função da intensidade com que vivemos cada momento. Nossa sensibilidade faz a diferença. Quando um vasilhame está fechado, nada entra enquanto não for aberto, da mesma forma enquanto permanecermos fechados em "nosso mundo" dificilmente aguçaremos nossa sensibilidade para sentirmos outros valores.

José Irineu Nenevê

Meu Deus, um coração cheio de soberba não tem lugar para o teu Amor. Livra-me de todo orgulho desmedido e de toda arrogância. Amém.

11 Setembro

Santos do dia: *Dídimo / Diomedes / João Gabriel.*

Os salmos

Se quisermos rezar o Pai-nosso com o Espírito de Jesus devemos reconstruir, na medida do possível, a atmosfera espiritual da qual brotou sua oração ao Pai. Para isso, nada melhor do que aprofundar-nos na tradição orante dos salmos. Eles constituem o *humus* no qual cresceu a espiritualidade de Jesus e onde se alimenta essa oração, tão sublime como sóbria, que ficou plasmada no Pai-nosso. Estou convencido de que um crente que se aprofunda na espiritualidade dos salmos aprenderá a rezar o Pai-nosso como Jesus e poderá experimentar que essa oração, repetida tantas vezes de forma rotineira e distraída, converta-se em manancial inesgotável de vida e esperança.

José Antonio Pagola

Jesus, meu Bom Pastor, que, ao ler a Bíblia, não procuremos argumentos para polêmica e sim que suas palavras nos confortem. Amém.

Santos do dia: *Guido de Anderlecht / Selésio / Vitória Fornari.*

12 Setembro

Cada passo, cada projeto ou mesmo sonho, nos leva para o futuro. A meta é sempre o futuro, mesmo que ele seja o próximo minuto. É tão natural esse comportamento que fazemos instintivamente essa caminhada. Há todo um contexto espiritual, psicológico, material ou mental nos impulsionando para o amanhã. Do ontem que já foi o nosso "agora" chegamos ao futuro, nosso "agora real", quando, atravessando os anos, temos a felicidade de envelhecer.

Maria Augusta Christo de Gouvêa

Querido Jesus, peço-te para que as pessoas tratem os idosos com respeito e caridade, lembrando que seremos idosos também. Amém.

13 Setembro

Santos do dia: *João Crisóstomo / Maurílio / Ligório.*

Embeleza tua casa com modéstia e humildade, através da prática da oração. Torna tua casa esplêndida com a luz da justiça; adorna suas paredes com as boas obras, como se fossem pátina de ouro puro e, em vez de muros e de pedras preciosas, coloca a fé e a sobrenatural magnanimidade, pondo sobre todas as coisas, na parte superior do frontão, a oração como decoração de todo o complexo. Assim, preparas para o Senhor uma morada digna, assim o acolhes em um esplêndido palácio. Ele te concederá transformar tua alma no templo da sua presença.

São João Crisóstomo

Senhor, faze com que eu cultive a modéstia em meu coração, abandonando todo orgulho e toda presunção que me enchem de mim mesmo. Amém.

14 Setembro

Hoje: *Exaltação da Santa Cruz. Dia do Frevo.*
Santos do dia: *Rósula / Materno / Noteburga.*

Diante de ti pende o Salvador na cruz, porque se tornou obediente e assim foi até a morte de cruz. Ele veio a esse mundo não para fazer a sua vontade, mas a vontade do Pai... Teu salvador pende frente a ti na cruz, nu e entregue porque escolheu a pobreza. Quem quiser segui-lo tem que abandonar todos os bens terrenos... Teu Salvador pende diante de ti com coração aberto. Derramou o sangue de seu coração para conquistar teu coração. Queres segui-lo na pureza santa, então teu coração deve estar purificado de todo desejo terreno.

Edith Stein

Senhor, que pela Santa Cruz nos libertaste do pecado, marca-nos com seu sinal para que, caminhando à sua sombra, alcancemos a redenção. Amém.

15 Setembro

Hoje: *Dia da Musicoterapia e do Musicoterapeuta.*

Santos do dia: *Nossa Senhora das Dores / Catarina de Gênova / Nicomedes.*

Mantenha-se repousado. Não se aflija. Evite tomar-se de pânico. Nunca pense: "Isto não pode ser feito". Declare: "Isto pode ser feito, está sendo feito, porque Deus o está fazendo através de mim". Afirme que o processo está em andamento. O resultado final pode não ser, inteiramente, o que você deseja agora. Mas, trabalhada dessa maneira, a solução será a que Deus deseja.

Norman Vincent Peale

Senhor Deus, alcance-me uma compreensão da paixão de Jesus e de Nossa Senhora, para que eu me solidarize com as pessoas que sofrem. Amém.

16 Setembro

Hoje: *Dia Internacional para a Preservação da Camada de Ozônio.*

Santos do dia: *Cornélio / Cipriano / Edite.*

A harmonia e a fidelidade acompanham o desabrochar de toda pessoa destinada a desdobrar-se ao longo da vida. Nunca terminamos de crescer, porque nunca atingimos a medida de Cristo. Mas também nunca podemos parar, porque o apelo que existe dentro de nós é semente com força divina.

Dom Paulo Evaristo Arns

Senhor Deus, Pai todo-poderoso, ajuda-nos a ler a Bíblia todos os dias, a fim de que possamos ter força para cumprir nossa jornada. Amém.

17 Setembro

Hoje: *Dia do Transportador Rodoviário de Carga.*

Santos do dia: *Roberto Belarmino / Hildegarda de Bingen / Colomba / Zygmunt Felinski.*

Quando olho a cruz e reconheço nela o amor de Jesus com o qual Ele se entregou por mim, enquanto sou seu amigo ou enquanto sou sua amiga, então todas as autoacusações e depreciações podem dissolver-se. Tenho o sentimento: eu tenho valor. Jesus pôs sua vida em jogo por mim porque eu me amo e porque, para Ele, eu tenho valor. Assim reconheço meu próprio valor e abandono minha autodepreciação. João entende o gesto da cruz como um gesto de abraço. Jesus diz diante de seu sofrimento: "Quando eu for elevado sobre a terra atrairei todos a mim" (Jo 12,32).

Anselm Grün

Senhor, que eu saiba superar toda dor e o sofrimento que surgirem no meu caminho, confiante na compaixão de Deus e no seu amor por mim. Amém.

18 Setembro

Hoje: *Dia dos Símbolos Nacionais, dia da TV Brasileira, dia do Perdão e início da Semana Nacional do Trânsito (até dia 25/09).*

Santos do dia: *José de Copertino / Metódio do Olimpo / Ricarda.*

Para quem quer perdoar, existe um antes e um depois. Um antes, quando ele diz para si mesmo: fui ferido demais na minha infância, repudiado e humilhado no decurso da minha vida. A revolta, em mim, chega a tanto que não posso perdoar. E há um depois, quando, tendo perdoado, ele descobre o início duma ressurreição neste mundo. O perdão: um milagre sem equívoco, a expressão máxima do amor. Cada vez que é recebido, passa o Deus vivo.

Irmão Roger de Taizé

Senhor, tem misericórdia de mim e perdoa-me pelas minhas faltas, pois sou imperfeito e faço escolhas erradas, mas teu amor tudo supera. Amém.

19 Setembro

Hoje: *Dia do Ortopedista.*

Santos do dia: *Nossa Senhora da Salette / Januário (Gennaro) / Constância / Afonso de Orozco.*

Aprender a viver

Há em todas as coisas visíveis
uma fecundidade invisível,
uma luz tênue,
uma humildade anônima,
uma plenitude oculta...
Há em todas as coisas
uma inexaurível doçura e pureza,
um silêncio que é fonte de ação e de alegria.
Surge sem palavras, imensamente da mente, de dentro...

Thomas Merton

Jesus, nosso Bom Pastor, ajuda os jovens a assumirem a vida, com coragem e alegria, construindo sua história com amor e dedicação. Amém.

20 Setembro

Hoje: *Dia do Engenheiro Químico e dia da Revolução Farroupilha.*

Santos do dia: *André Kim Taegon / Paulo Chong Hasang / Francisco Maria.*

Um louvor de glória: é uma alma de silêncio, que permanece como uma lira, sob o toque misterioso do Espírito Santo, que nela produz harmonias divinas. Ela sabe que o sofrimento é uma corda que produz sons mais belos ainda e por isso gosta de vê-la no seu instrumento, para comover, mais ternamente, o coração de seu Deus.

Elisabete da Trindade

Deus Pai, ensina-nos a sermos gratos pelos dons que recebemos e abre nosso coração para acolhermos com amor àqueles que nos estendem as mãos. Amém.

21 Setembro

Hoje: *Dia da Árvore, dia do Fazendeiro, dia Nacional de Luta das Pessoas com Deficiência, dia Mundial do Mal de Alzheimer e dia Internacional da Paz das Nações Unidas.*

Santos do dia: *Mateus, apóstolo e evangelista / Ifigênia / Maura de Troyes.*

A paz é como um avião que passa sobre você e não consegue vê-lo. Você não espere a paz dos outros; nunca a encontrará! Seja você mesmo paz. O seu sorriso seja: paz. O seu trabalho seja: paz. O seu caminhar seja: paz. O seu falar seja: paz. Não confie nos tratados. Não confie nas palavras das pessoas. Não confie nos trabalhos dos outros. Seja você mesmo o verdadeiro construtor de paz. Hoje, não destrua com sua atitude a paz de ninguém. Seja você a paz!

Frei Patrício Sciadini, OCD

Deus Pai todo-poderoso, a ti recorremos, pedindo a paz para todas as nações, a harmonia entre os povos e a bênção para todos nós. Amém.

22 Setembro

Hoje: *Dia do Técnico Agropecuário, dia do Contador, dia de Defesa da Fauna, dia da Banana e dia Mundial Sem Carro.*

Santos do dia: *Focas / Santino / Emerano.*

O silêncio exterior pode ajudar para que as emoções interiores se acalmem. Precisamente quando não nos entendemos bem com outra pessoa e sempre de novo ficamos excitados por causa dela, uma proibição externa de falar pode contribuir para que também a atitude interior se modifique. O silêncio é aqui uma disciplina que deve produzir uma atitude interior. Por si só isto não acontece. Mas a disciplina exterior pode ser uma ajuda para que alguma coisa se modifique no coração.

Anselm Grün

Deus, ilumina a minha mente para que eu compreenda a tua Palavra, ilumina meu coração para que eu a ponha em prática na minha vida. Amém.

23 Setembro

Hoje: *Dia Internacional da Memória do Comércio dos Escravos e sua Abolição.*

Santos do dia: *Pio de Pietrelcina / Lino / Helena de Bolonha / Bv. Francisco de Paula Victor.*

A bondade verdadeira é constante, nos lindos dias de primavera como no tempo sombrio do outono, quer nos inunde a alegria, quer nossos méritos sejam reconhecidos, quer só encontremos ingratidão. Os raios de sol, que penetram na casa para alegrar os moradores, devem partir de um céu sem nuvens. É raro resistir-se a um olhar bondoso, a uma palavra amável. O bom humor é contagioso para os que vivem com gente amável.

Lucas

Senhor, enchemo-nos de alegria ao ver a maravilha do desabrochar de tantas flores. Que a primavera nos inspire a viver uma vida nova! Amém.

24 Setembro

Hoje: *Dia do Soldador.*

Santos do dia: *Nossa Senhora das Mercês / Germaro / Geraldo de Csanad / Pacífico.*

"Olho por olho e o mundo acabará cego" (Gandhi). Muita gente se comove com a força da mídia quando mostra os porões do poder a ponto de esquecer que só o bem triunfa sobre o mal. Alguém já se perguntou o que eu faria se estivesse em seu lugar? É fácil apontar o erro dos outros, o difícil é mostrar qual seria a sua atitude se as posições fossem inversas. A postura de uma pessoa correta se manifesta nas mínimas atitudes. É sendo gentil em casa, sendo educado no trânsito, sendo honesto em suas relações trabalhistas, enfim, tendo o bem como parâmetro de conduta. Na dúvida, vale a pergunta: O que Jesus faria se estivesse em meu lugar?

José Irineu Nenevê

Senhora das Mercês, protetora dos cativos, faze-me estender a mão àqueles que são prisioneiros do mundo, ajudando-os na libertação. Amém.

25 Setembro

Hoje: *Dia do Rádio e da Radiodifusão, dia Mundial do Coração e dia Nacional do Trânsito.*

Santos do dia: *Aurélia / Cléofas / Vicente Stambi.*

O ser humano moderno já acha difícil estar só; ir em busca dos fundamentos do seu próprio eu é quase impossível para ele.

E quando alguma vez permanece consigo mesmo no cantinho silencioso, e estiver quase chegando ao conhecimento de Deus, ele liga o rádio ou a televisão.

Ernesto Cardenal

Senhor, dá-me a tua bênção para que neste dia nenhum mal me aconteça, pois mais forte do que o mal é o teu amor e a tua proteção. Amém.

26 Setembro

Hoje: *Dia Internacional das Relações Públicas e dia Nacional do Surdo.*

Santos do dia: *Cosme e Damião / Elzeário de Sabran / Bv. Gaspar Stanggassinger.*

Do início ao fim, a Bíblia não é senão a mensagem do Amor de Deus às suas criaturas. Os tons podem mudar do irado ao muitíssimo terno, porém a substância é sempre, e tão somente, amor. Foi dito que se todas as bíblias do mundo fossem destruídas por alguma catástrofe qualquer, restando apenas um único exemplar, e este exemplar estivesse tão danificado que apenas uma página estivesse inteira, porém amassada e reduzida a apenas uma linha ainda legível, e esta linha fosse a linha da primeira carta de João, onde está escrito: "Deus é amor", toda a Bíblia estaria salva, porque toda ela está contida nessa afirmação.

Pe. Raniero Cantalamessa

Santos Cosme e Damião, que levastes a cura gratuita a tantos necessitados, ajudem-me a lutar por condições de saúde dignas para o nosso povo. Amém.

27 Setembro

Hoje: *Dia da Música Popular Brasileira, dia do Encanador, dia da Caridade e dia Mundial do Turismo e do Turismólogo.*

Santos do dia: *Vicente de Paulo / Fidêncio / Florentino.*

A Sagrada Escritura pode muito bem ser definida como Carta de Deus aos filhos. De fato, toda página da Bíblia revela amor e carinho, como o fazem as mensagens dos pais, sobretudo quando os filhos vivem distantes, em meio a toda sorte de preocupações e perigos.

Dom Paulo Evaristo Arns

Senhor, motiva-nos a ler a Bíblia diariamente com alegria e que, assim, sintamo-nos alimentados por tua Palavra. Amém.

28 Setembro

Hoje: *Dia do Hidrógrafo.*

Santos do dia: *Venceslau / Lourenço Ruiz / Eustóquia.*

Deus deixa-nos livres para sermos o que quisermos. Podemos ser nós mesmos ou não, a nosso bel-prazer. Temos a liberdade de ser reais ou irreais. Podemos ser verdadeiros ou falsos; a opção nos pertence. Podemos usar ora tal máscara, ora outra e nunca, se o desejamos, aparecer com o nosso verdadeiro rosto. Não podemos, todavia, fazer essa opção impunemente. As causas têm seus efeitos. Se mentimos a nós mesmos e aos outros, não podemos de modo algum esperar encontrar a verdade e a realidade todas as vezes que o desejarmos. Se escolhemos o caminho da falsidade, não nos surpreendamos se a verdade nos escapa quando, finalmente, dela precisamos.

Thomas Merton

Jesus, que meu coração seja sincero no amor por ti, para que eu possa seguir confiante, sem razão de medo, pelos caminhos do Senhor. Amém.

29 Setembro

Hoje: *Dia do Petróleo, dia do Paraquedista e dia do Anunciante.*

Santos do dia: *Arcanjos Miguel, Gabriel e Rafael.*

A confissão da culpa a uma pessoa leva à experiência de uma maior proximidade e de uma compreensão mútua mais profunda. Por isso, a conversa com o outro é o caminho adequado para lidar com a nossa culpa. Na conversa, admito a minha culpa, mas ao mesmo tempo me distancio dela. Declaro minha prontidão a aceitar as regras básicas da comunidade humana. "Numa conversa assim, posso fazer a experiência de que nada mais me separa do outro, porque não tenho mais nada a esconder. Tenho a vivência de que o outro vê a minha culpa e não fica aterrorizado, ou é tomado por aversão, ou faz uma represália, mas se apresenta a mim enquanto pessoa que conhece o que é" (L. Wachinger).

Anselm Grün

Miguel, Gabriel e Rafael, Anjos do Senhor, zelem por mim e pela minha família, guardem-nos de todo mal, de toda doença e da ignorância. Amém.

30 Setembro

Hoje: *Dia da Secretária, dia da Navegação e dia Mundial do Tradutor.*

Santos do dia: *Jerônimo / Simão de Crépu / Gregório, o Iluminador.*

Envelhecer é a grande conquista dentro da vida. É a realidade que nos traz a consciência do tempo vivenciado em todos os sentidos. É a certeza de que nos foram dadas muitas oportunidades de crescimento. Crescimento é o objetivo maior do ser humano e só uma bagagem rica em vivências justifica termos vivido. Não cogitaremos se as experiências foram boas ou más. Cogitaremos, sim, que as vivências são sempre enriquecedoras transformando-nos, a cada dia, em seres maiores.

Maria Augusta Christo de Gouvêa

Pai, que tua Palavra seja impressa em nosso coração e transforme a nossa vida em instrumento de paz e de justiça, em favor de nossos irmãos. Amém.

1 Outubro

Hoje: *Início da Semana da Vida, dia Internacional do Idoso, dia Nacional dos Vereadores e dia do Vegetarianismo.*

Santos do dia: *Teresinha do Menino Jesus / Veríssimo / Milor.*

Santa Teresa de Jesus nos dizia que orar é a arte de amar. Uma arte que se aprende no exercício constante. Não é possível ser orante apenas em algumas situações como normalmente ouvimos dizer: na dor ou no amor. A vida deve ser uma atitude de oração, onde tudo nos une ao Senhor e tudo vem dela como fonte de força e vida.

Regina Helena Mantovani

Santa Teresinha, tiveste a pureza de criança mesmo na vida adulta; ajuda-me a viver a simplicidade da infância com compromisso adulto. Amém.

2 Outubro

Hoje: *Dia do Repórter Fotográfico e dia Internacional do Notário.*

Santos do dia: *Anjos da Guarda / Custódio / Leodegário / Domingos Spadafora.*

Quem aprendeu com a vida que "colhemos aquilo que plantamos" sabe a importância de escolher a melhor "semente". Muitas pessoas querem primeiro receber para depois serem generosas, e com isso se tornam prisioneiras deste ciclo vicioso, do sempre querer mais, pois nunca estão satisfeitas com o que têm. Quem sabe agradecer e semeia bondade torna sua vida feliz e alegra a vida de muitos.

José Irineu Nenevê

Santo Anjo do Senhor, amigo de todas as horas, protege-me, livra-me de todo mal, governa meus passos e guarda-me no amor de Deus. Amém.

3 Outubro

Hoje: *Dia do Cirurgião Dentista Latino-americano.*

Santos do dia: *Bvs. André de Soveral, Ambrósio Francisco Ferro e Comps. / Maria Josefa / Emilie de Villeneuve.*

Cansados pelas tentativas de manipulação na política e no lazer, todos os jovens de boa vontade querem unir-se para construir um mundo de paz, de verdadeira justiça e amor. Para tanto, é necessário que eles assumam as atitudes de Cristo, promovendo e defendendo a dignidade da pessoa humana, não perdendo jamais de vista a civilização do amor, que se edifica na justiça e na paz.

Dom Paulo Evaristo Arns

Querido Mestre, pedimos pelas pessoas que precisam de paz. Faze-nos instrumento da tua paz. Enche nossos corações de mansidão. Amém.

4 Outubro

Hoje: *Dia da Ecologia, dia das Aves e dos Animais, dia Universal da Anistia e dia Mundial do Bartender.*

Santos do dia: *Francisco de Assis / Amônio / Petrônio.*

A doença

A doença, olhada pelo prisma da fé, não é um mal. Deus a permite para nosso bem, para a salvação de nossa alma. Fere o corpo para que não morra a alma. Ela nos oferece grandes vantagens. Separa-nos dos loucos e pecaminosos prazeres do mundo. Abate o corpo, que é sempre instrumento do pecado. Afasta-nos das criaturas, da dissipação e de muitas faltas graves. Faz-nos pensar na eternidade e na loucura das vaidades humanas. Quantas desilusões do mundo num leito de dores! Saber aproveitar as lições da enfermidade é receber uma multidão de graças escolhidas do céu. São Francisco de Assis, em vez de se queixar na doença, exclamava, cheio de gratidão: "Senhor, os sofrimentos que me enviais são, aos meus olhos, incomparáveis tesouros. Agradeço a vossa misericórdia infinita, que me castiga neste mundo para me poupar na eternidade".

Mons. Ascânio Brandão

São Francisco, protetor da natureza, ajuda-nos a termos consciência ecológica e a preservarmos nosso planeta para as futuras gerações. Amém.

5 Outubro

Santos do dia: *Benedito, o Negro / Faustina / Flávia / Bv. Francisco Xavier Sellos.*

Jesus quer, com suas palavras sobre o inferno, exortar-nos a abrir os olhos, despertar e viver conscientemente. Não quer nos assustar. Quando as palavras de Jesus nos assustam, o que elas fazem é, em última instância, descobrir a tendência de nossa alma de nos condenar e lançar-nos no inferno. Em última instância, o medo que emerge em nós quer nos conduzir ao autoconhecimento. Por que sou tão rigoroso comigo mesmo? Diante do que tenho medo? Tenho medo de sucumbir, de ser incendiado pelo vulcão interior em minha alma? Quando me coloco essas questões as palavras de Jesus conduzem-me à minha própria verdade. Mas só posso ver essa verdade quando sei que tudo o que está em mim é envolvido pela misericórdia divina.

Anselm Grün

Pai, tira do meu coração todo medo que me impede de viver feliz e desperta a certeza de que se estou contigo nenhum mal me alcançará. Amém.

6 Outubro

Hoje: *Início da Semana da Criança.*

Santos do dia: *Bruno / Maria Francisca / Erotides.*

Devemos aprender a dominar as paixões cedo na vida, pois o arbusto verga com facilidade, mas a árvore fica inflexível. A criança que não aprendeu a obedecer, quando os seus caprichos não são satisfeitos, será mais tarde um homem bruto, ou uma mulher teimosa, que só procurará satisfazer seu egoísmo, embora prejudique a sua felicidade, ou a dos que a cercam. Quem não tiver força de vontade, no momento preciso, não está preparado para enfrentar a vida, nem principalmente para viver bem em comunidade.

Lucas

Jesus, Pai abençoado, proteja as crianças. Faze com que elas vivam em segurança, com muito amor e carinho, livra-as de todo mal. Amém.

7 Outubro

Hoje: *Dia do Compositor.*

Santos do dia: *Nossa Senhora do Rosário / Helano / Osita / Mateus de Mântua.*

Como devemos desejar que todas as pessoas estejam em estado de graça! É desejar que existam tantos tabernáculos vivos, tantos corpos e almas animados por Jesus, quantas forem as almas existentes!... Como devemos desejar que as almas em estado de graça façam o maior número possível de atos santos! É desejar a multiplicação dos atos de Jesus, e cada um glorifica a Deus infinitamente!

Bv. Charles de Foucauld

Nossa Senhora, dá-nos paciência e mostra-nos como superar as adversidades, as dores e as angústias, com paciência e fé. Amém.

Hoje: *Dia do Nordestino, dia do Nascituro e dia pelo Direito à Vida.*

Santos do dia: *Reparata / Lourença / Taís.*

8 Outubro

Se queremos encontrar um meio de sermos santos, temos primeiro de renunciar ao nosso próprio modo de sê-lo e à nossa própria sabedoria. Temos de nos "esvaziar" como Jesus o fez. Temos de nos "abnegar" e, de certo modo, tornar-nos "nada" para vivermos, não tanto em nós mesmos, mas nele. Temos de viver de um poder e de uma luz que não parecem estar presentes. Temos de viver pela força do que mais se parece com um vazio, que em realidade está sempre vazio e, no entanto, jamais cessa de nos sustentar a cada momento. Aí está a santidade.

Thomas Merton

Obrigado, Senhor, pela vida, por cada dia em que acordo e posso te louvar, pelos sonhos que plantas em meu coração e que me fazem viver. Amém.

9 Outubro

Hoje: *Dia do Atletismo e dia da União Postal Universal.*

Santos do dia: *Dionísio / João Leonardi / Públia.*

Sede perfeitos

Naquele tempo, disse Jesus aos seus discípulos: "Ouvistes o que foi dito: Amarás o teu próximo e odiarás o teu inimigo. Eu, porém, digo-vos: Amai os vossos inimigos e orai pelos que vos perseguem. Fazendo assim, tornar-vos-eis filhos do vosso Pai que está no céu, pois Ele faz com que o Sol se levante sobre os bons e os maus e faz cair a chuva sobre os justos e os pecadores. Porque, se amais os que vos amam, que recompensa haveis de ter? Não fazem já isso os cobradores de impostos? E, se saudais somente os vossos irmãos, que fazeis de extraordinário? Não o fazem também os pagãos? Portanto, sede perfeitos como é perfeito o vosso Pai celeste".

Mt 5,43-48

Ilumina-me, Senhor Jesus, com tua luz, para que eu trilhe o reto caminho e busque sempre a Verdade e a Vida plena que vem de ti. Amém.

10 Outubro

Hoje: *Dia Mundial da Saúde Mental e dia do Lions Internacional.*

Santos do dia: *Daniel Comboni / Paulino de York / Francisco de Borja.*

Somos belos como os desejos de Deus. Tão belos que Ele nos criou para que fôssemos espelhos... Que em nós se refletisse sua imagem e semelhança. E nos fez amor, em amor, por amor. Destinados a andar de mãos dadas, sensíveis à beleza, à verdade: nosso corpo se animou ao sopro de seu Espírito...

Rubem Alves

Deus Criador, embelezaste o mundo ao nos fazer diferentes; faz com que eu saiba acolher cada irmão como ele é, com respeito e amor. Amém.

11 Outubro

Hoje: *Dia do Combate à Dor e dia da Pessoa com Deficiência Física.*

Santos do dia: *João XXIII / Zenaide / Alexandre Saulo.*

As diferenças

Brilha a luz na noite; na manhã, dá lugar ao sol, que não impede que as nuvens o cubram e tragam a chuva, que não impede que os ventos soprem ou que os rios corram, ou que as marés se alterem. "As diferenças existentes entre nós não requerem repreensões ou julgamentos, mas atenção. Estas diferenças encontram-se apenas nos níveis de evolução, o que não nos faz melhor ou pior do que nenhum outro, apenas diferentes, e as diferenças devem ser respeitadas." Não se deve impor conhecimentos, nem forçar aprendizado. Você próprio é uma lição; respeite-se!

José Renato Sindorf

Pai, somos irmãos, mas somos diferentes; desperta em meu coração o respeito pelo modo de ser de cada um, para vivermos em harmonia. Amém.

12 Outubro

Hoje: *Nossa Senhora Aparecida. Dia da Criança, dia do Descobrimento da América, dia da Leitura, dia do Engenheiro Agrônomo, dia do Corretor de Seguros, dia do Basquete e dia do Mar. Feriado nacional.*

Santos do dia: *Evágrio / Prisciano / Serafim.*

Se temes que Deus, irritado contra ti por tuas muitas culpas, queira vingar-se, que deves fazer?

Vai, recorre a Maria, a esperança dos pecadores! E, se receias que recuse tomar tua defesa, fica sabendo que ela não te pode negar o auxílio, pois o próprio Deus a encarregou de socorrer os miseráveis.

São Boaventura

Nossa Senhora Aparecida, padroeira nossa, dá ao Brasil muita paz e ilumina nossos governantes para o bem da nação. Amém.

13 Outubro

Hoje: *Dia do Fisioterapeuta e dia do Terapeuta Ocupacional.*

Santos do dia: *Celidônia / Geraldo de Aurilac / Venâncio / Bv. Alexandrina de Balasar.*

Perder a paciência é desequilíbrio. Ficar nervoso, irritar-se, não serve. Seja calmo: no trabalho, em casa, com os colegas, com todos.

Saiba dominar-se. O amanhã será bem melhor.

Se você quer que alguém o aceite, o ame, seja você mesmo o primeiro que saiba aceitar e amar.

Frei Patrício Sciadini, OCD

Meu Deus, mantém longe de mim a irritação e o nervosismo, faze-me compassivo para com meu próximo. Amém.

14 Outubro

Santos do dia: *Calisto I / Fortunata / Evaristo.*

Devemos ser capazes de iniciar uma aventura espiritual e com amor desperto estar atentos ao que possa surgir. Só assim chegaremos a conhecer outra voz mais sutil que fala em nós às vezes com discreto desejo, às vezes com impulso infinito. *É Deus mesmo que vive na morada mais interior*, dirá Santa Teresa d'Ávila. Saber visitar esse lugar nos levará a descobrir o melhor tesouro que temos, um Tu que mora em nós e nos diz que não estamos sós. Aparece como força libertadora capaz de impulsionar-nos a partir de nossa fraqueza. Ali nos sentimos seguros, amados incondicionalmente no que somos, protegidos em nossa fragilidade ante os revezes da vida, e dignificados.

Carolina Mancini

Jesus, amado Mestre, ajuda-me a perceber que as provações fazem parte da vida e que nos purificam e aperfeiçoam como seres humanos. Amém.

15 Outubro

Hoje: *Dia do Professor e dia da Normalista.*

Santos do dia: *Teresa d'Ávila / Eutímio / Tecla de Kitzingen.*

Autocrítica

Eu gosto de criticar: os pais simplesmente não me entendem. Os avós são, como se sabe, de ontem. As aulas são chatas e os professores péssimos, as notas, simplesmente, injustas. Eu sou generoso apenas comigo mesmo: e isso é ruim apenas pela metade, acontece às vezes, não é nenhuma perna quebrada, *ninguém é perfeito*. Talvez eu devesse, em algum momento, experimentar o contrário: ser crítico em relação a mim e generoso com os outros. Eu seria justo para com todos!

Jonathan Düring

Senhor, que cada professor saiba colocar-se a serviço do teu Reino no cotidiano da própria vocação, educando os alunos com amor e sabedoria. Amém.

16 Outubro

Hoje: *Dia da Ciência e da Tecnologia, dia Mundial da Alimentação, dia Mundial do Pão, dia do Anestesiologista e dia do Instrutor de Trânsito.*

Santos do dia: *Edviges / Margarida Maria Alacoque / Geraldo Majella.*

Sobre a alimentação

Tudo está ligado com a alimentação. Tenha uma relação de amor com os alimentos, e curta os amigos ao seu redor. Toda vez que você sentar-se à mesa, agradeça a Deus o dom da terra e do trabalho humano. Cada fruta tem a sua vitamina, cada legume tem a sua fibra. Converse com eles, torne-se amigo dos alimentos. Agradeça a terra e pergunte sempre ao seu corpo como ele está se sentindo. Coma devagar sentindo o sabor de cada alimento. Trate também de estudar um pouco os nutrientes de cada fruta, verdura, carne que você está comendo. Veja com qual você se sente melhor. Cuide da terra, é dela e do trabalho humano que procedem todos os alimentos. Talvez o grande segredo da vida seja saber se alimentar. Pense nisso!

José Trasferetti

Senhor, não há paz onde há fome; dá-me forças para lutar por um mundo sem fome, onde todos vivam com dignidade, justiça e paz. Amém.

17 Outubro

Hoje: *Dia do Eletricista, dia Nacional de Vacinação, dia Internacional para a Eliminação da Pobreza e dia Internacional pela Democratização da Comunicação.*

Santos do dia: *Inácio de Antioquia / Serafino / Notelmo.*

Ao chamar os seus para que o sigam, Jesus lhes dá uma missão muito precisa: anunciar o evangelho do Reino a todas as nações (cf. Mt 28,19; Lc 24,46-48). Por isto, todo discípulo é missionário, pois Jesus o faz partícipe de sua missão ao mesmo tempo que o vincula a Ele como amigo e irmão. Cumprir esta missão não é uma tarefa opcional, mas parte integrante da identidade cristã, porque é a difusão testemunhal da própria vocação.

Documento de Aparecida 144

Pai, tantas pessoas ainda desconhecem o teu nome; toca os corações dos cristãos para que assumam a missão de evangelizar em toda parte. Amém.

18 Outubro

Hoje: *Dia do Médico.*

Santos do dia: *Lucas, evangelista / Nossa Senhora Rainha Três Vezes Admirável de Schoenstatt / Renato / Cirila.*

Uma fé que alivia

Os jovens demonstram altas expectativas com respeito às relações. São justamente essas expectativas que lhes fazem temer pelo fracasso delas. Para que uma relação se torne exitosa é preciso que seja abençoada por Deus e que prossiga atravessando crises por meio das quais se torna ainda mais forte. A fé não é uma receita patenteada que vai me garantir o êxito de uma relação. Mas a fé pode me ajudar a encontrar os critérios adequados em minha busca de amizade e companheirismo para me envolver numa relação cheio de confiança.

Anselm Grün

Pai Eterno, que seu sopro divino ilumine os médicos e enfermeiros para oferecerem um tratamento humanizado aos enfermos. Amém.

19 Outubro

Santos do dia: *João de Brébeuf e Isaac Jogues / Paulo da Cruz / Pedro de Alcântara.*

O cenário de como vai ser o seu dia é determinado dentro de você, "logo ao acordar". Como um baú cheio de objetos é a nossa mente. Quando enchemos este baú com "coisas" construtivas, pensamentos positivos, vontade de acertar, fé em nossa capacidade, certamente todas as vezes que recorremos a ele, lá encontraremos boas respostas. Mas se o preenchemos com divagações, frustrações, brincadeiras inconsequentes e de mau gosto, vontade de prejudicar os outros e assim por diante, de lá só sairão "coisas" negativas para influenciar o nosso dia. Por isso, procure sempre buscar "fontes edificantes" para preencher sua mente.

José Irineu Nenevê

Senhor, abra minha mente e meu coração para que eu coloque a minha inteligência a serviço da construção do bem e de um mundo melhor. Amém.

20 Outubro

Hoje: *Dia do Arquivista, dia do Poeta, dia Internacional do Controlador de Tráfego Aéreo e dia Mundial de Combate à Osteoporose.*

Santos do dia: *Artêmio / Contardo Ferrini / Íria.*

Nunca digas: Estou fracassado!
Não exclames: Não posso!
Não afirmes: É impossível!
Não penses: Nada sou!
Não comentes: Sou fraco!
Não assegures: Nada tenho!

Agar

Jesus, que eu seja sempre um sinal de tua presença. Dá-me força e sabedoria para a todos tratar com amor, respeito e consideração. Amém.

21 Outubro

Hoje: *Dia Nacional da Valorização da Família.*
Santos do dia: *Úrsula / Celina / Dásio.*

Se a família não evangelizar e não for evangelizada, a religião será aceita como objeto estranho, difícil de assimilar. Se, pelo contrário, a criança crescer num ambiente cercado de carinho e respeito pelo Pai do céu e por tudo o que é dele, ela crescerá dentro do ambiente autêntico de uma aceitação dos desafios da vida.

Dom Paulo Evaristo Arns

Amado Senhor, a ti consagro minha família. Ponha tua mão sobre a nossa vida e conduza-nos a fazer o bem. Amém.

22 Outubro

Hoje: *Dia Internacional do Radioamador e dia Internacional de Atenção à Gagueira.*
Santos do dia: *João Paulo II / Josefina Leroux / Maria Salomé / Melânio.*

Obedientes, logo, livres. Humildes, logo, poderosos. Em que a humildade pode ser uma força? Eis ainda uma virtude que possui má reputação neste mundo. “Eu, (eu-eu-eu) eu sou muito orgulhoso!” Declaração de que muitos se gabam. O orgulho é uma fraqueza muitas vezes mortal: pode-se bem imaginar o que aconteceria com o riacho que se separasse de sua nascente, acreditando poder bastar-se a si mesmo: algumas chuvas talvez lhe permitissem, durante a má estação, correr por algum tempo entre as pedras e sobre a areia, mas no primeiro dia de seca desapareceria para sempre.

Marcelle Auclair

São João Paulo II, papa da família, abençoa as famílias cristãs e zela para que vivam como Igrejas domésticas e santuários da vida. Amém.

23 Outubro

Hoje: *Início da Semana Nacional do Livro e da Biblioteca e dia da Aviação Brasileira e do Aviador.*

Santos do dia: *João de Capistrano / Vero / João Bondoso.*

Não existimos só para nós, e é somente quando estamos plenamente convencidos deste fato que começamos a amar-nos da maneira devida, e também aos outros. Que quero dizer, ao falar em amar-nos como deve ser? Designo, em primeiro lugar, o desejo de viver, a aceitação da vida como um dom muito grande e um grande bem, não pelo que ela nos dá, mas pelo que ela nos habilita a dar aos outros.

Thomas Merton

Jesus, que tua luz divina me ilumine e me conduza pelo caminho do bem, livrando-me sempre do mal. Amém.

24 Outubro

Hoje: *Início da Semana do Desarmamento, dia das Nações Unidas e dia Mundial do Desenvolvimento.*

Santos do dia: *Antônio Maria Claret / Evergílio / Marglório.*

Não há graça maior do que a de amar e ser amado. Se toda e qualquer graça nos faz parecidos com Deus, e de amar nos faz como Deus, que é amor, só amor, nada mais do que puro amor. Uma pessoa que ama toma o jeito de Deus. Junto a ela não sentimos medo, mas experimentamos só bem-estar e indizível satisfação. Todo mundo gosta de uma tal pessoa, e dela não queremos nos afastar, mas de viver com e junto dela, olhar seu rosto, sentir e morar em seu coração, ficando ao alcance de suas mãos.

Frei Neylor J. Tonin, OFM

Senhor, dá-me a graça de amar e de ser amado, sem ciúmes, convivendo com serenidade e carinho, na cumplicidade e doação mútua. Amém.

25 Outubro

Hoje: *Dia do Santo Frei Galvão, dia dos Profissionais da Construção Civil, dia da Saúde Dentária, dia do Cirurgião Dentista, dia do Sapateiro, dia da Democracia e dia Mundial do Macarrão.*

Santos do dia: *Antônio de Sant'Ana Galvão / Baltazar de Chiavari / Crispim / Crispiniano.*

Três apelos aos jovens

Sede jovens transbordantes de alegria e de seriedade, de atenções para com todos e de exigências para com vós mesmos. Sede discípulos ardorosos de Cristo, centro de toda a história e da vossa própria história. Sede construtores realistas e perseverantes da sociedade, bastante cansada dos caminhos do materialismo prático, e construtores da sociedade cristã, da única Igreja de Cristo.

São João Paulo II

Jesus, que com os apóstolos formaste uma comunidade de amor, ajuda-me a conviver bem com os irmãos, unidos na comunhão e na partilha. Amém.

26 Outubro

Hoje: *Dia Mundial do Futebol.*

Santos do dia: *Flório / Boaventura de Potenza / Damião de Finaro.*

Olhai os pássaros e os lírios...

Não vos preocupeis com vossa vida, com o que comereis, nem com o corpo, com o que vestireis. Não será a vida mais do que o alimento e o corpo mais do que as vestes? Olhai os pássaros do céu: não semeiam, nem colhem, nem guardam em celeiros, mas o Pai celeste os alimenta. E vós não valeis muito mais do que eles? Quem de vós, com suas preocupações, pode aumentar a duração de sua vida de um momento sequer? E por que vos preocupais com as vestes? Observai como crescem os lírios do campo: não trabalham nem fiam. Mas eu vos digo que nem Salomão com toda a sua glória se vestiu como um deles. Se Deus veste assim a erva do campo, que hoje cresce e amanhã será lançada ao fogo, quanto mais a vós, gente de pouca fé!

Mt 6,25-30

Senhor, quero viver minha vida na simplicidade, como as flores do campo que não tecem e nem fiam, mas se deixam vestir por teu Amor. Amém.

27 Outubro

Hoje: *Dia Mundial de Oração pela Paz.*

Santos do dia: *Vicente d'Ávila / Odrano / Frumêncio.*

A paz está dentro de nós

Nunca como hoje a paz foi tão ameaçada. Há uma "cultura de guerra no ar": impaciência no trânsito, nas filas dos bancos, supermercados, sobressaltos à noite quando se volta do trabalho ou de um passeio, discussões de toda natureza, quer seja nos barzinhos, nos lares, nas escolas... Tudo isso nos leva a crer que a vida, muitas vezes, não nos parece ser fácil. Em nosso íntimo existe o anseio de poder viver bem num ambiente de paz e de respeito. No entanto, a paz é possível a partir da nossa disponibilidade em aceitar as experiências tornando-nos sensíveis ao que elas nos ensinam. A paz depende da atenção que damos ao modo como nosso coração corresponde às situações, ao nosso interior. Somente assim ela se estende ao exterior, dando uma nova dimensão à realidade desfazendo os nós onde tudo parece emaranhado, sem saída.

Regina Helena Mantovani

Bondoso Jesus, fortalece a todos com a tua luz e humildade e conceda-nos a paz tão necessária nos dias de hoje. Amém.

28 Outubro

Hoje: *Dia do Funcionário Público.*

Santos do dia: *Simão Cananeu e Judas Tadeu, apóstolos / Faro.*

Nós sabemos mais da vida particular do presidente norte-americano que da de Deus. Nossos jovens estão mais interessados em conhecer a boa vida que levam os ídolos e celebridades do que em adivinhar a felicidade dos santos no céu. Eles conhecem muitos detalhes de como vivem os campeões esportivos, mas ignoram as vidas dos santos, campeões da fé.

Nadir José Brun

São Simão e São Judas Tadeu, ajudem-me a alcançar o consolo e a graça de Deus sempre que surgir uma causa difícil. Amém.

29 Outubro

Hoje: *Dia Nacional do Livro e dia Mundial de Combate à Psoríase.*

Santos do dia: *Narciso de Jerusalém / Abraão de Rostov / Colmano.*

Exercite manter-se repousado quanto a seu trabalho. Torne a lembrar a si próprio que "calma sempre resolve". Não se apresse ou se estafe. Trabalhe de acordo com seu passo. Uma das maneiras de fazer isso é repetir uma fórmula de trabalho como a seguinte: "Posso dar conta deste trabalho. Conheço esse material ou esse negócio. Estou bem-informado no que a ele se refere, e sou competente para com ele tratar; portanto não terei medo ou nervosismo a respeito. Além disso, Deus está comigo, para me ajudar".

Norman Vincent Peale

Senhor, teus caminhos são alamedas seguras; toma minhas mãos e me conduz para que não me afaste de ti, mas contigo alcance a salvação. Amém.

30 Outubro

Hoje: *Dia do Comerciário.*

Santos do dia: *Zenóbia / Lupércio / Geraldo de Potenza.*

Quando um cristão se esquece da esperança, ou pior, quando ele perde a esperança, a vida dele não tem sentido. É como se a vida estivesse diante de um muro: nada. Mas Deus nos consola e nos refaz, com a esperança, para seguirmos em frente. Ele se aproxima de modo especial de cada um, porque nosso Senhor consola o seu povo e consola cada um de nós.

Papa Francisco

Senhor, não permita que eu me afaste de ti, que me perca por caminhos mundanos, pois em ti eu espero e anseio pela tua salvação. Amém.

31 Outubro

Hoje: *Dia do Saci.*

Santos do dia: *Afonso de Palma / Antônio de Milão / Foilano.*

A santidade de Deus

Quando falamos de "santidade" geralmente pensamos na "perfeição moral" que uma pessoa alcançou num grau notável.

Na tradição bíblica, porém, a santidade é, antes de tudo, o modo de ser próprio de Deus. Só Deus é realmente "santo". Ele é diferente de tudo que existe. É incomparável. Ele é Deus e não homem (cf. Os 11,9). Não é prolongamento do nosso mundo. É completamente outro, insondável, transcendente. Seu modo de ser e de atuar não pode ser comparado com nada nem com ninguém.

Em concreto, Ele ama e busca a justiça como ninguém. Aborrece a iniquidade, defende os fracos e sua misericórdia não tem fim: sua ação salvadora é insondável.

Assim, pois, a santidade de Deus é fundamento e exigência para viver de maneira santa. O mesmo se diz nas primeiras comunidades cristãs: "*Assim como é santo aquele que vos chamou, sede também santos em todas as ações, pois está escrito: 'sede santos porque eu sou santo*'" (1Pd 1,15-16).

É a ideia de Jesus: "*Sede perfeitos como vosso Pai do céu é perfeito*" (Mt 5,48).

José Antônio Pagola

Jesus, ajuda-me a não julgar ninguém, pois só Deus, nosso Pai Celeste, é perfeito e capaz de julgar com Justiça. Amém.

1 Novembro

Hoje: *Todos os Santos (celebração móvel).*

Santos do dia: *Licínio / Tiago da Pérsia / Maria, escrava.*

Santificado seja o vosso nome

Dizemos: "Santificado seja o vosso nome", não para exprimir o desejo de que Deus seja santificado com as nossas orações, mas para pedirmos ao Senhor que o seu nome seja santificado em nós. Aliás, por quem poderá Deus ser santificado, se é Ele próprio quem santifica? Mas, porque Ele disse: "Sede santos, porque Eu sou santo" (Lv 20,26), pedimos e rogamos para que, uma vez santificados no batismo, perseveremos no que principiamos a ser. E isto pedimo-lo todos os dias.

São Cipriano

Santos e Santas de Deus, intercedam por nós para que Deus nos ajude a viver na sua Graça e, assim, um dia desfrutar da comunhão dos santos. Amém.

2 Novembro

Hoje: *Dia de Finados. Feriado nacional.*

Santos do dia: *Tobias / Pápias / Tomás de Walen.*

A morte

A ciência ainda não encontrou um jeito de domá-la. Ela é nossa amiga, está sempre por perto. Seja seu amigo, converse com ela. Diga que você a ama e a hora que ela quiser chegar será bem-vinda. Ela é incerta, impenetrável, misteriosa, profundamente presente. O melhor jeito de vencê-la é morrendo. Pura dialética. Morte da morte, vida da vida. Mas ela não é tudo. Ela morre e você continua, porque sua vida caminha para Deus e ela para a terra. A morte é terrena, nós somos celestiais. Mas enquanto ela não chega viva bem, viaje, visite amigos, faça o bem, tenha alegrias. Um olho na morte, outro na vida. Na vida divina que se faz aqui neste tempo louco de amor e paz. Um dos meus segredos? Ser amigo da morte.

José Trasferetti

Senhor Jesus, Tu que perdoas os pecados dos seres humanos, dá a todos os que já partiram deste mundo o descanso eterno. Amém.

3 Novembro

Santos do dia: *Martinho de Lima / Sílvia / Malaquias / Humberto.*

A cada instante

Viemos de um abismo obscuro, já destinados a um obscuro abismo. Ao espaço de luz que medeia esses abismos nós chamamos Vida. No ato de nascer começa a morte: partida e retorno a um só tempo. Morremos a cada instante. Daí afirmar-se repetidas vezes que a razão da vida é a própria morte. Mas, no instante do nascer, começa igualmente o esforço de criar, o afã de transformar matéria em vida. Nascemos a cada instante. Daí afirmar-se repetidas vezes que a imortalidade é o objetivo final da vida efêmera.

Nikos Kazantzakis

Pai Celestial, agradeço-te por este dia. Que eu tenha uma palavra amiga a todas as pessoas que estiverem comigo. Amém.

4 Novembro

Hoje: *Dia Mundial do Inventor.*

Santos do dia: *Carlos Borromeu / Claro / Vital.*

A misericórdia é uma obra que provém da bondade de Deus; ela manter-se-á enquanto for permitido que o pecado atormente as almas justas. [...] Deus permite as nossas quedas; mas protege-nos pelo seu poder e a sua sabedoria. Pela sua misericórdia e a sua graça, eleva-nos a uma alegria infinitamente maior. É assim que Ele quer ser conhecido e amado: na retidão e na misericórdia, agora e para sempre.

Juliana de Norwich

Senhor, minha esperança está na tua bondade e misericórdia, concede-me a graça de, seguindo os passos de Jesus, merecer a vida eterna. Amém.

5 Novembro

Hoje: *Dia Nacional da Cultura, dia do Cinema Brasileiro, dia Nacional do Radioamador e dia do Técnico Agrícola.*

Santos do dia: *Isabel e Zacarias / Galácio / Guido Maria Conforti.*

O que vale na vida? E o que vale a vida? São duas perguntas que não deixam de angustiar e de levar-nos a sentir sempre mais o peso das feridas da vida.

A vida vale a pena vivê-la na sua plenitude, na beleza do amor. Passar sobre a terra como uma rosa que enfeita o jardim do mundo, espalhando a sua beleza e o seu perfume e, depois, com alegria, se despetala, tendo a consciência de ter alegrado e servido para fazer alguém mais feliz.

Frei Patrício Sciadini, OCD

Pai Santo, faze que, pelo exemplo de Santa Isabel e São Zacarias, eu viva confiante em teu Amor, certo de que o servo não é maior que o Senhor. Amém.

6 Novembro

Santos do dia: *Ático / Leonardo de Limoges / Bv. Bárbara Maix.*

Mandamentos da paz interior

1. Nunca usar da violência, quer seja física ou mental. 2. Cultivar emoções e pensamentos positivos. 3. Procurar ver sempre o lado melhor das coisas. 4. Viver o momento presente. 5. Viver cada dia como se fosse o mais interessante de todos. 6. Ter um amigo em quem confiar as preocupações. 7. Procurar ser justo com todas as pessoas. 8. Não se preocupar com muitas coisas ao mesmo tempo. 9. Procurar desenvolver o poder mental e espiritual. 10. Desapegar-se das coisas e pessoas.

Júlio Maran

Deus, dá-me paciência para esperar tuas respostas às minhas orações, compreendendo que o tempo de Deus não é o nosso. Amém.

7 Novembro

Hoje: *Dia do Radialista.*

Santos do dia: *Carina / Amaranto / Pedro de Ruffia.*

O repouso no céu

A vida é para a luta. No céu é que há repouso. Aqui somos soldados em combate, só podendo descansar depois de alcançada a vitória. Nada de covardia nem de desânimo! É preciso que a morte nos venha encontrar com as armas na mão. A nossa peleja é pela conquista do céu, onde encontraremos o repouso eterno, esse mesmo repouso que imploramos na prece pelos nossos defuntos quando dizemos: "Dai-lhes, Senhor, o descanso eterno".

Mons. Ascânio Brandão

Jesus, és a ressurreição e a vida; alimenta em nós a certeza de que nossos entes queridos que partiram vivem contigo na glória de Deus. Amém.

8 Novembro

Hoje: *Dia Mundial do Urbanismo, dia da Radiologia e do Radiologista.*

Santos do dia: *Deodato / Godofredo / Bv. João Duns Escoto.*

Sobre relacionamento e amizade

Certa vez uma mulher procurou um mestre e reclamou longamente de sua amiga. "A amizade de vocês seria mais feliz se você fosse uma amiga melhor", disse-lhe o mestre. A mulher ficou perplexa com a afirmação e perguntou: "E como eu poderia ser?" "Na medida em que você deixar de se preocupar em fazer de sua amiga uma pessoa melhor e procurar aceitá-la tal como ela é."

Anselm Grün

Pai, não é fácil aceitar as pessoas como são; por isso te peço que me ajudes a conviver em paz com todos os irmãos, por teu amor. Amém.

9 Novembro

Hoje: *Dedicação da Basílica do Latrão. Dia do Hoteleiro.*

Santos do dia: *Jorge Napper / Orestes / Salvador.*

Pertence àquele que tem fome o pão que tu guardas; àquele que está nu a capa que tu conservas em teu guarda-roupa; àquele que está descalço, os sapatos que apodrecem em tua casa; ao pobre o dinheiro que tu tens guardado. Assim tu cometes tantas injustiças quantas as pessoas às quais poderias dar.

São Basílio Magno

Senhor, é fácil ser solidário com aqueles que estão próximos; mas ajuda-me a ser solidário com todas as pessoas, incondicionalmente. Amém.

10 Novembro

Hoje: *Dia do Trigo.*

Santos do dia: *Leão Magno / Ninfa / Florência.*

A plenitude da vida humana não pode ser medida por algo que só acontece ao corpo. A vida não significa apenas vigor físico, saúde ou capacidade de se divertir. O que é a vida? É muito mais do que a respiração das narinas, o sangue pulsando nas veias, uma resposta a estímulos físicos. É óbvio que todas essas coisas são essenciais para uma vida plenamente humana, mas elas mesmas não constituem a vida em toda sua plenitude. Uma pessoa pode ter tudo isso e, mesmo assim, ser uma idiota. E alguém que apenas respira, come, dorme e trabalha sem conscientização, sem objetivo e sem ideias próprias não é realmente uma pessoa. A vida em seu sentido puramente físico é tão somente a ausência da morte. Essas pessoas não vivem, elas vegetam.

Thomas Merton

Deus, Pai, colocamos nossa vida em tuas mãos. Que seja feita a tua vontade e não a nossa. Amém.

11 Novembro

Santos do dia: *Martinho de Tours / Verano / Mena.*

A doutrina da remissão dos pecados, tal como nos é transmitida pela Bíblia, não quer fortalecer o nosso sentimento de culpa. Ela quer nos dizer: "Ainda que você se sinta muito culpado, Deus te perdoa. Se Jesus perdoou na cruz os assassinos, então você pode acreditar que não há nada em você que não possa ser perdoado". Ademais, a Confissão, tal como era praticada pela Igreja Antiga, era algo que curava as pessoas. A conversão sempre é possível, ainda que a pessoa se desvie da fé ou cometa algo profundamente errado.

Anselm Grün

Jesus, Tu és a minha salvação; ampara-me quando eu cair em tentação, sustenta-me para que as pedras do pecado não façam despencar. Amém.

12 Novembro

Hoje: *Dia do Diretor de Escola, dia do Psicopedagogo, dia Nacional do Inventor, dia do Supermercado e dia Nacional de Prevenção de Arritmias Cardíacas e Morte Súbita.*

Santos do dia: *Josafá / Livino / Cuniberto.*

A coisa mais bela que podemos experimentar é o misterioso. Ele é a fonte de toda verdadeira arte e ciência. Aquele que é estranho a essa emoção, aquele que não consegue admirar-se e deixar-se arrebatar pelo deslumbramento, é como se estivesse morto. Tem olhos fechados. Saber que o que é impenetrável para nós realmente existe... esse conhecimento, esse sentimento, é o centro da verdadeira religiosidade.

Albert Einstein

Pai Amado, que a minha vida seja testemunho do teu poder e da tua ação. Fortaleça-me nos momentos de fraqueza. Amém.

13 Novembro

Santos do dia: *Diogo de Alcalá / Eugênio de Toledo / Estanislau Kostka.*

Bem-aventurados os jovens que acreditam num mundo melhor apesar de tantos sinais de vida! Bem-aventuradas as pessoas que sabem perder tempo para que outros tenham mais esperança na vida. Bem-aventurados os índios, negros, crianças, pobres, excluídos... Bem-aventurados os educadores... Bem-aventurados os pais... Bem-aventurados os promotores da paz... Bem-aventurados os ecologistas, pacifistas... Bem-aventurados os que trabalham na área da saúde... Bem-aventuradas as mulheres lavadeiras, agricultoras... Bem-aventurado o homem do campo...

Canísio Mayer

Senhor, Tu és o amor que dá sentido à minha vida. Vem e me ampara quando meu rumo for incerto, quando o caminho for estreito. Amém.

14 Novembro

Hoje: *Dia dos Bandeirantes e dia Mundial do Diabetes.*

Santos do dia: *Veneranda / Nicolau Tavelic / Filomeno.*

Lembre-se do mal que o ressentimento pode fazer, não a outra pessoa, mas a você, tornando-o até mesmo doente. Lembre-se que jamais será espiritualmente agraciado enquanto não perdoar. Isto é uma lei espiritual básica. Boa vontade não pode fluir para você enquanto não fluir de você. Pensar em perdoar não é o bastante. É preciso que chegue um momento específico em que diga: "Com o auxílio de Deus eu perdoo agora" (Faça isso neste momento, agora, enquanto lê estas palavras, e seja positivo).

Norman Vincent Peale

Senhor Jesus, liberta-me das lembranças que me fazem sofrer. Livra-me da imensa tristeza que sinto. Restaura em mim a alegria de viver. Amém.

15 Novembro

Hoje: *Dia da Proclamação da República. Feriado nacional.*

Santos do dia: *Nossa Senhora da Saúde / Alberto Magno / João Licci / Fidenciano.*

Deus realmente cura. Cura de duas maneiras: através da ciência e através da fé. Na cura, a confissão é importante, pois muita doença resulta de ressentimentos e culpas enterradas. A confissão com um conselheiro competente alivia esses venenos, limpa a mente e a alma, assim fazendo cessar a passagem dos pensamentos doentes para o corpo. A oração eficaz, isto é, a oração científica, é muito poderosa. A essência da técnica é confessar suas culpas, orar com espíritos afins, ainda que separados pela distância, e acreditar entusiasticamente (fervorosamente).

Norman Vincent Peale

Querido Jesus, abençoa nossa cidade, nossa pátria, os governantes para que atuem com justiça e atendam às necessidades do povo. Amém.

16 Novembro

Hoje: *Dia Internacional para a Tolerância.*

Santos do dia: *Margarida da Escócia / Gertrudes / Elpídio.*

Não basta ser virtuoso, é preciso trabalhar a mente e moldar o espírito de acordo com os requisitos do amor; não basta viver tranquilo na comodidade dos benefícios terrenos, é preciso pôr mãos à obra. Aos que muito têm, muito será pedido, mas isto não é uma regra que será praticada em um futuro remoto, pois esta contribuição precisa ser dada imediatamente por todos que se julgam capazes de ajudar.

José Renato Sindorf

Jesus Amado, ensina-me a não errar o caminho, seguindo sempre suas pegadas, vivendo com fé, esperança e amor. Amém.

17 Novembro

Santos do dia: *Isabel da Hungria / Vitória / Alfeu.*

Fazemos de nossa vida uma festa, persuadidos de que Deus está presente em toda parte e de todas as maneiras, e de que, quando trabalhamos, o louvamos, e quando navegamos, lhe entoamos hinos. A nossa oração é, atrevo-me a dizer, uma conversa com Deus. Mesmo quando nos dirigimos a Ele em silêncio ou mal mexendo os lábios, interiormente estamos a orar. Mesmo depois de terminada a oração vocal, continuamos de cabeça levantada e de braços erguidos ao céu, voltados para o universo espiritual na comoção de nossa alma. Quer passeie, quer converse ou descanse, quer trabalhe ou leia, o fiel ora; e sozinho no reduto de sua alma, se medita, invoca o Pai com gemidos inefáveis e o Pai está próximo daquele que o invoca assim.

São Clemente de Alexandria

Pai, Tu amas a sinceridade de coração; dá-me um coração puro e sincero para que eu viva na busca da tua vontade e de todo o bem. Amém.

18 Novembro

Hoje: *Dia do Conselheiro Tutelar e dia Nacional do Notário e do Registrador.*

Santos do dia: *Salomé de Cracóvia / Odo de Cluny / Maudez.*

Jesus Cristo ensina aos seres humanos que há alguma coisa neles que os ergue acima desta vida com suas pressas, os seus prazeres e medos.

Aquele que entende a lição de Cristo sente-se como uma ave que, não sabendo que tem asas, de súbito vê que pode voar, que pode ser livre e já não precisa ter medo.

Leon Tolstoi

Pai, sinto-me perdido entre tanta violência no mundo; por isso te peço que não deixes o medo me impedir de viver com fé e esperança. Amém.

19 Novembro

Hoje: *Dia da Bandeira.*

Santos do dia: *Roque Gonzales / Afonso Rodriguez / João del Castilho.*

Experimento na absolvição que Deus realmente me perdoou. A absolvição acontece normalmente através de um apertar de mãos. Assim posso vivenciar corporalmente que sou totalmente aceito por Deus e pelos homens. E assim torno-me capaz de me aceitar e de me perdoar. Uma das maiores carências de muitas pessoas é que elas não conseguem se perdoar. Elas se repreendem constantemente por seus erros e fracassos; assim não conseguem mais seguir em frente.

Anselm Grün

Senhor do Céu e da Terra, concede-me o teu perdão para que, sendo por ti justificado, eu alcance a graça da salvação eterna. Amém.

20 Novembro

Hoje: *Dia de Zumbi, dia Nacional da Consciência Negra, dia do Biomédico e dia Mundial dos Direitos da Criança.*

Santos do dia: *Edmundo / Ambrósio de Camaldoli / Otávio.*

Jesus nunca disse: Não há nada de bom neste homem ou naquela mulher. Para Ele, os outros, quaisquer que fossem, eram sempre seres amados por Deus, apesar de seus atos ou de sua reputação. Ser humano algum jamais respeitou os outros seres humanos como este homem. Ele é único! Ele é o Filho único daquele que faz seu sol brilhar sobre os bons e os maus. Senhor Jesus, Filho de Deus, tem piedade de nós, pecadores!

Dom Albert Decourtray

Senhor Jesus, se vens comigo, não temerei mal algum neste dia, porque estás comigo e me faz caminhar com segurança, confiante na tua proteção. Amém.

21 Novembro

Hoje: *Dia Nacional da Homeopatia, dia da Vida Religiosa de Clausura e dia Nacional do Compromisso com a Criança e Adolescente e a Educação.*

Santos do dia: *Apresentação de Nossa Senhora / Gelásio I / Alberto de Lovaina / Celso.*

Aposte numa coisa. A felicidade existe. Se há muita gente feliz, então ela existe! É a única experiência em que o pouco já é tudo. Se a desperdiçamos por nos parecer insignificante, jamais a teremos na totalidade. De tanto querer mais, acabamos querendo demais. Nessa ânsia, o resultado é uma vida infeliz. A pessoa feliz é bem menos ansiosa. Nem por isso, acomodada.

Pe. Zezinho, SCJ

Senhor, no ventre materno me chamaste para ser feliz, transforma-me para que eu entenda que a felicidade está dentro do meu coração. Amém.

22 Novembro

Hoje: *Dia da Música e do Músico.*

Santos do dia: *Cecília / Áfia / Pragmácio.*

Cristo não faz distinção de origem, nem de cor, nem de língua; antes continua a interrogar-nos a todos: "Quando tive fome, você me deu de comer? Quando procurei casa e saúde, confiei a você a tarefa de ajudar em meu nome, você disse 'presente'? Você trabalhou nas organizações que existem? Deu acolhida aos migrantes? Ajudou as comunidades nos trabalhos pelas periferias e também em favor daqueles que procuram acolhida?"

Dom Paulo Evaristo Arns

Cristo, que teu Reino, já presente no meio de nós, cresça e resplandeça com o testemunho e o agir dos teus discípulos. Amém.

23 Novembro

Hoje: *Dia Nacional de Combate ao Câncer Infantil.*

Santos do dia: *Clemente I / Columbano / Lucrécia.*

"Para tudo há um tempo" (Ecl 3,1). Quem já trabalhou com concreto conhece um jargão que diz: "em concreto o tempo é juiz", isto é, ele ganha rigidez com o passar do tempo. De forma semelhante ao que acontece com o concreto, para quem está no caminho do saber, o tempo vai depurando as convicções de forma que as sem consistência desaparecem, permanecendo somente as mais sólidas. Penso que é em função disso que nos países milenares, como os orientais, há tanta reverência à sabedoria dos mais velhos. Lembre-se do conselho das avós: deixe o bolo esfriar antes de comer.

José Irineu Nenevê

Jesus, rogo pelas crianças doentes. Abençoa-as, alivia suas dores, restitua a saúde delas. Manda seus anjos protetores guardá-las. Amém.

Santos do dia: *André Dung-Lac / Porciano / Crisógono.*

24 Novembro

O amor jamais passará

O amor é paciente, o amor é prestativo; não é invejoso, não se ostenta, não se incha de orgulho. Nada faz de inconveniente, não procura seu próprio interesse, não se irrita, não guarda rancor. Não se alegra com a injustiça, mas se rejubila com a verdade. Tudo desculpa, tudo crê, tudo espera, tudo suporta. O amor jamais passará. As profecias desaparecerão, as línguas cessarão, a ciência também desaparecerá. Agora, portanto, permanecem estas três coisas: a fé, a esperança e o amor. A maior delas, porém, é o amor.

1Cor 13,4-8.13

Jesus amado, transforma os corações angustiados para que todo aquele que necessitar do teu apoio encontre paz no teu amor. Amém.

25 Novembro

Hoje: *Dia Internacional da Eliminação da Violência contra a Mulher e dia Internacional do Doador de Sangue.*

Santos do dia: *Catarina de Alexandria / Jocunda / Mercúrio.*

Se Deus é bom, e se a minha inteligência é uma dádiva sua, o meu dever é mostrar, pela inteligência, a minha confiança na sua bondade. Devo deixar a fé elevar, curar e transformar a luz da minha mente. Se Ele é misericordioso, e se a minha liberdade é um dom da sua bondade, devo mostrar, pelo uso da minha vontade livre, a confiança que ponho na sua misericórdia. Devo deixar a esperança e a caridade purificar e robustecer a minha liberdade humana e elevar-me até à gloriosa autonomia dos filhos de Deus.

Thomas Merton

Meu Amado Jesus, Tu que pela cruz redimiste o mundo, alivia o sofrimento enfrentado pelas mulheres em todo o mundo. Amém.

Santos do dia: *Belina / Conrado / Leonardo de Porto Maurício / Bv. Tiago Alberione.*

26 Novembro

Lembre-se

Se você está triste porque perdeu seu amor, lembre-se daquele que não teve um amor para perder. Se você se decepcionou com alguma coisa, lembre-se daquele cujo nascimento já foi uma decepção. Se você está cansado de trabalhar, lembre-se daquele que, angustiado, perdeu um emprego. Se você reclama de uma comida malfeita, lembre-se daquele que morre faminto sem um pedaço de pão. Se você teve um amor para perder, um trabalho para cansar, uma tristeza para sentir, uma comida para reclamar...

Lembre-se de agradecer a Deus, porque existem muitos que dariam tudo para estar em seu lugar.

Autor desconhecido

Meu Deus e Senhor, graças te damos pelo teu amor infinito que nos transformou de simples criaturas em filhos muito amados. Amém.

27 Novembro

Hoje: *Dia do Técnico de Segurança do Trabalho e dia Nacional do Combate ao Câncer.*

Santos do dia: *Nossa Senhora das Graças / Francisco Antônio / Valeriano / Bernardino de Fossa.*

Sabedoria e temor de Deus

Confia no Senhor com todo o teu coração, e não te apoies em tua própria inteligência; reconhece-o em todos os caminhos, e Ele aplainará as tuas veredas. Não te consideres sábio a teus próprios olhos, teme ao Senhor e evita o mal. Isto será saúde para teu corpo e alívio para teus ossos. Honra o Senhor com tuas riquezas, com as primícias dos teus rendimentos, e teus celeiros se encherão de trigo, as adegas transbordarão de vinho. Meu filho, não rejeites a instrução do Senhor e não leves a mal a sua repreensão, porque o Senhor repreende a quem Ele ama, como um pai quer bem ao filho.

Pr 3,5-11

Nossa Senhora das Graças, roga por mim e por todos aqueles que estão em meu coração, derramando suas graças sobre todos nós. Amém.

28 Novembro

Hoje: *Dia do Soldado Desconhecido.*

Santos do dia: *Tiago das Marcas / José Pignatelli / Estêvão, o Moço / Bv. Maria Helena Stollenwerk.*

A confissão na qual eu sinto as mãos do padre sobre a minha cabeça e na qual ouço palavras com as quais ele me dá o perdão torna-me capaz de acreditar profundamente em meu coração: minha culpa está perdoada. Não preciso repreender-me constantemente em razão dela. Posso então perdoar a mim mesmo e deixar o passado para trás. A confissão quer exatamente nos libertar da atenção excessiva à culpa e aos sentimentos de culpa dos quais as pessoas tanto sofrem hoje em dia.

Anselm Grün

São Tiago das Marcas, que procurou uma profissão e encontrou uma vocação, ajuda-me a ouvir a voz do Senhor e dizer sim ao seu chamado. Amém.

29 Novembro

Santos do dia: *Iluminada / Brás de Véroli / Paramão.*

Jesus nos anima a ter confiança na oração: "O que pedires em meu nome fá-lo-ei a fim de que o pai seja glorificado no Filho. Se me pedirdes algo em meu nome, eu o farei" (Jo 14,13-14). "Pedi e vos será dado; buscai e achareis; batei e vos será aberto. Pois todo o que pede, recebe; o que busca, acha; e ao que bate, se abrirá" (Lc 11,9-10). A oração deve ser um diálogo com Deus e não um monólogo: um diálogo entre Deus Pai e seus filhos. E Jesus nos avisa: "Vigiai e orai, para que não entreis em tentação, pois o espírito está pronto, mas a carne é fraca" (Mt 26,41).

Frei Wenceslau Scheper, OFM

Pai, somos convocados a vigiar; não permitas que a vinda de Jesus nos pegue de surpresa, vem e ajuda-nos a manter acesa a chama da fé. Amém.

30 Novembro

Hoje: *Dia do Estatuto da Terra e dia Mundial contra a Pena de Morte.*

Santos do dia: *André, apóstolo / Troiano / Justina.*

Esperar é dever, não virtude. Esperar não é sonhar, antes é meio para transformar um sonho em realidade.

Felizes os que se atrevem a sonhar e estão dispostos a pagar um preço mais alto para que o sonho seja realidade na vida dos homens.

Cardeal Leo Joseph Suenens

Santo André, que reconheceste imediatamente a Boa-nova e seguiste Jesus, ajuda-me a seguir o Senhor com a mesma disposição e amor. Amém.

Dezembro

1 Dezembro

Hoje: *Dia Mundial da Luta contra a Aids.*

Santos do dia: *Naum / Elói / Cândida de Roma / Bv. Charles de Foucauld.*

Quando amamos somos humildes, porque nos achamos pequeninos, um nada, ao lado do que amamos.

Quando amamos, imitamos. E Jesus foi manso e humilde de coração.

A humildade é o ornamento de todas as virtudes, é necessária para que sejam agradáveis a Deus. O orgulho as destrói todas...

Bv. Charles de Foucauld

Senhor, meu Bom Pastor, pedimos pelas pessoas que convivem com o vírus do HIV. Dá-lhes força. Tende piedade delas. Amém.

2 Dezembro

Hoje: *Dia Nacional de Relações Públicas, dia do Astrônomo e dia do Samba.*

Santos do dia: *Bibiana / Martana / Crisólogo.*

Orar sem cessar

Orar sem cessar, fazendo da vida uma contínua oração, é, para o cristão, mais que uma obrigação, uma necessidade. No entanto, não são poucos os que, com muita sinceridade, confessam que não sabem rezar devidamente. Como responder a eles? Ora, um mestre de natação ensina que só se aprende a nadar, nadando. O mesmo pode dizer qualquer mestre de oração: só se aprende a orar, orando.

Pe. Luiz Carlos do Nascimento

Senhor, ilumina-me na preparação do Natal, para que a oração e a vivência deste tempo suscitem em mim verdadeira conversão na busca da paz. Amém.

3 Dezembro

Hoje: *Dia Internacional das Pessoas com Deficiência.*

Santos do dia: *Francisco Xavier / Sofonias / Birino.*

Quem não vivenciou de forma suficiente, seja da parte da mãe ou do pai, a experiência da confiança, certamente terá muitos problemas em sua vida com respeito à confiança. Por outro lado, é bom lembrar que a confiança não depende apenas da experiência com os pais. A fé pode, certamente, auxiliar no fortalecimento da confiança. Eu sei que Deus está comigo, que por Ele sou bem-vindo a este mundo porque Ele me criou e me formou. Ele está ao meu lado e me fortalece e protege como um pai. Deus é o fundamento de minha existência e quem me possibilita a firmeza na vida.

Anselm Grün

Meu Deus, precisamos de teu amor, tua proteção para todas as nossas decisões. Olha por nós. Amém.

4 Dezembro

Hoje: *Dia do Publicitário, dia do Orientador Educacional, dia do Perito Criminal Oficial e dia Nacional do Podólogo.*

Santos do dia: *João Damasceno / Bernardo de Parma / Bárbara.*

O grande contraste

Deus não é o Deus do poder deste mundo, da riqueza deste mundo, das seguranças deste mundo, do sucesso deste mundo. Deus vem ao mundo a partir do lugar dos perdedores, dos que não contam, daqueles cuja única riqueza é seu amor e sua generosidade. E, além disso, no momento de dar a conhecer a alegria de sua chegada, não escolhe pessoas respeitadas e bem-vistas, nem tampouco pessoas tidas por importantes, mas escolhe pastores que sobrevivem como podem num lugar afastado.

Josep Lligadas

Santa Bárbara, teu algoz foi teu próprio pai; dá-me a coragem de denunciar sem medo todo mau-trato sofrido por crianças e adolescentes. Amém.

5 Dezembro

Hoje: *Dia Nacional da Pastoral da Criança e dia Internacional do Voluntário para o Desenvolvimento Econômico e Social.*

Santos do dia: *Nicécio / Crispina / Dalmácio.*

Deus vem ao nosso encontro. Estamos no Tempo do Advento. Tempo do encontro com aquele que veio morar entre nós. E com todos aqueles que esperam um mundo em que o amor será mais forte que todos os ódios, em que a humanidade reconciliada em Deus fará que sejam eliminadas todas as fronteiras que separam e dividem.

François Arnold et al.

Jesus, é tempo de preparar o coração para a tua vinda; ajuda-nos a aplainar as estradas da nossa vida e alargar as veredas da fé. Amém.

Hoje: *Dia Nacional da Extensão Rural e do Extensionista Rural.*

Santos do dia: *Nicolau de Mira / Pedro Pascásio / Leôncia.*

6 Dezembro

Você diz que sabe viver a vida. Sabe mesmo? Então vamos ver. Você já estendeu sua mão ao próximo. Já deu a palavra amiga a alguém na hora do desespero. Você já beijou a face de sua mãe depois de grande. Já teve tempo de sentar e dialogar com seu pai. Você já brincou como criança. Já admirou a beleza de uma flor. Você alguma vez parou e olhou o azul do céu. Pensou nos erros do passado e tentou corrigir o presente. Imaginou seu futuro como pretende que seja. Você já teve tempo de orar a Deus e agradecer a tudo. Já foi compreensivo e perdoou alguém. Você já teve um amor e ofereceu amor também. Pois bem, se já aconteceu tudo isso, parabéns, sabe viver. Mas se ainda não houve nada disso, levante a cabeça e comece agora, sempre há tempo, nunca é tarde para viver.

Solange Orosco

Senhor, abençoa os casais que se unem para formar uma nova família; que vivam na lealdade, fidelidade, confiança, ternura e muito amor. Amém.

7 Dezembro

Hoje: *Dia Nacional do Cirurgião Plástico.*

Santos do dia: *Ambrósio de Milão / Fara / Eutiquiano.*

Sem a esperança, a nossa fé só nos dá distantes relações com Deus.

Sem o amor e a esperança, a fé só o conhece como a um estranho. Pois a esperança é que nos joga nos braços da sua misericórdia e da sua providência.

Se esperamos em Deus, não nos limitaremos a saber que Ele é bom, mas experimentaremos nas nossas vidas a sua misericórdia.

Thomas Merton

Ó Jesus, mestre amigo, proteja nossa família, nossa casa e nosso trabalho de todos os males, assaltos e perigos. Amém.

8 Dezembro

Hoje: *Imaculada Conceição de Nossa Senhora. Dia Nacional da Família, dia da Justiça e dia do Cronista Esportivo. Dia Santo de Guarda.*

Santos do dia: *Eucário / Romário / Lucila.*

Com a Encarnação do Filho de Deus em Maria, ela se torna a aurora da salvação. O seu "sim" transtornou, porém, todo o projeto de sua vida. Ela queria conservar a sua virgindade.

Por um milagre de Deus, ela se torna mãe e, ao mesmo tempo, continua a ser virgem, "pois a Deus nada é impossível".

Frei Wenceslau Scheper, OFM

Santa Maria, teu ventre trouxe ao mundo o Salvador; ajuda-nos a gestarmos em nosso coração o Amor para darmos à luz a Paz no mundo. Amém.

9 Dezembro

Hoje: *Dia Nacional do Fonoaudiólogo e dia Internacional contra a Corrupção.*

Santos do dia: *Basiano / Leocádia / Gorgônia.*

Há uma coisa que me impressiona muito hoje em dia. Os casais querem uma paixão absoluta ou nada. Estamos em plena era do romantismo.

O amor é coisa bem diferente. Requer tempo, boa vontade, respeito, atenção, divergências, crises e lembranças comuns.

Luigi Comencini

Jesus, todo-poderoso, diante de tanta corrupção moral e de tantas falsidades, ajuda-me a ser fiel à verdade e à justiça. Amém.

10 Dezembro

Hoje: *Dia Internacional dos Direitos Humanos e dia do Palhaço.*

Santos do dia: *Melquíades / Gregório III / Gemelo.*

A ternura de um abraço afetuoso de seus pais vale mais que muitos presentes. Uma pesquisa revelou que as melhores lembranças que ficam dos pais são os momentos em que sentiram suas presenças atuantes em suas vidas. Foram os afetos, os ensinamentos. Poucos se lembram de presentes ou mesadas. Eternize sua presença na vida de seus filhos, estando presente nos momentos marcantes e, com dedicação e paciência, ensine-os a crescer, preparando-os para a vida.

José Irineu Nenevê

Senhor, que a proximidade do Natal faça redobrar em mim a esperança, e feliz me una aos irmãos para ir ao encontro de Jesus que vem. Amém.

11 Dezembro

Hoje: *Dia do Engenheiro Civil.*
Santos do dia: *Dâmaso I / Hugolino Magalotti / Pedro de Sena.*

Quando alguém não é capaz de guardar nada para si e tem necessidade de falar a respeito de tudo, tanto do bem quanto do mal, passa a impressão de que não possui profundidade. Não conhece segredos. Não consegue viver com segredos, não consegue suportá-los. Mas então ele não é capaz de penetrar mais profundamente em um mistério. Destrói o mistério, porque logo quer falar a respeito dele.

Anselm Grün

Meu Deus, ajuda-me a construir um ambiente saudável ao meu redor, para que as pessoas com quem convivo se sintam bem comigo. Amém.

Santos do dia: *Nossa Senhora de Guadalupe / Maxêncio / Cury / Vicelino.*

12 Dezembro

O bom combate da fé

Segue a justiça, a piedade, a fé, o amor, a paciência, a mansidão. Combate o bom combate da fé, conquista a vida eterna para a qual foste chamado e da qual fizeste solene profissão diante de muitas testemunhas. Eu te ordeno diante de Deus que faz viver todas as coisas, e diante de Cristo Jesus, que perante Pôncio Pilatos deu testemunho numa solene profissão, que guardes o mandamento sem mancha e irrepreensível, até a manifestação de Nosso Senhor Jesus Cristo.

1Tm 6,11-14

Virgem Maria, faça-se presente na minha vida e na de minha família, protegendo-nos de todo mal. Amém.

13 Dezembro

Hoje: *Dia da Pessoa com Deficiência Visual, dia do Marinheiro, dia do Pedreiro, dia do Lapidador e dia Nacional do Forró.*

Santos do dia: *Luzia / Otília / João Marimoni.*

A ternura de Deus para conosco

A grande festa do nascimento de Jesus se aproxima. Deixemos transpirar um clima de alegria e de esperança em nossas vidas. Porém, neste tempo do Advento, é bom fazer uma parada para refletir sobre nossas infidelidades a Deus, sobre as nossas omissões e acomodações diante das injustiças praticadas aos nossos irmãos, para que possamos dizer: Seja bem-vindo, Jesus, neste Natal!

Regina Helena Mantovani

Pai, ajuda-nos a preparar nosso coração, abolindo o orgulho, o egoísmo, a ganância e a sede de poder para dizer: Maranatha! Vem, Senhor Jesus!

14 Dezembro

Hoje: *Dia do Ministério Público e dia Nacional da Ópera.*

Santos do dia: *João da Cruz / Agnelo / Esperidião / Nimatullah Al Hardini.*

Felicidade

Todos os seres de todos os tempos desejam a felicidade. Os filósofos pensaram muito sobre a felicidade. Para Aristóteles a felicidade é uma virtude dos que descobrem o equilíbrio entre os extremos. Para mim está na realização da identidade. Identidade é ser o que se é, deixando de lado as máscaras e aparências. Felicidade é um estado de espírito que só conseguem as pessoas que se dão para a vida. Viver com plenitude, espírito livre. Cuidado com as propostas de felicidade no mundo pós-moderno. Consumismo não é felicidade. Dinheiro não é felicidade. Pode ajudar, mas não é tudo. Cuide da saúde interior e tenha fé em Deus que tudo virá como acréscimo.

José Trasferetti

Senhor, é feliz quem caminha à sua sombra; toma-me pela mão e me conduz pelas estradas deste mundo para que não me perca no caminho. Amém.

15 Dezembro

Hoje: *Dia do Jornaleiro e dia Nacional do Arquiteto e Urbanista.*

Santos do dia: *Cristiana / Ninon / Paulo de Latros.*

Não esmoreça, não deixe que as oportunidades escorreguem pelos seus dedos. Utilize as suas palavras, utilize o seu olhar, utilize sua educação, utilize sua simpatia, utilize sua boa vontade, o seu carinho, o seu amor; utilize sua vida para dar nova vida aos que morrem aos poucos, a cada dia, mergulhados no desânimo e na tristeza.

José Renato Sindorf

Senhor, que, ao esperarmos a tua vinda, brilhe em nós com maior força a esperança, e o empenho da preparação se transforme em alegria. Amém.

16 Dezembro

Hoje: *Dia do Reservista.*

Santos do dia: *Albina / Ananias / Misael.*

Uma cura para o medo, que terá êxito absoluto, é aproximar-se de Deus em seus pensamentos. Ele é o único e imutável fator do mundo. Ele jamais o deixará tombar nem o esquecerá. Se angustiado pelo medo, faça o que diz o texto: "Procure o Senhor". Isso pode ser feito passando quinze minutos por dia pensando em Deus. Você pode dividir esses quinze minutos em períodos de cinco minutos, mas não deixe que jamais um dia se passe sem que tenha gasto quinze minutos pensando em Deus.

Norman Vincent Peale

Obrigado, Pai Celestial, por nos conceder tua paz, quando estamos com medo e nos sentindo sós. Amém.

17 Dezembro

Santos do dia: *Lázaro / Olímpia / João da Mata / Vivina.*

Aplanai...

Encontrar o outro, que aventura! Com todos esses muros de proteção, filtros de segurança que produzimos à nossa volta. É verdade, temos necessidade em certos momentos de nosso conhecimento. Mas se ficarmos como numa redoma, jamais seremos "fecundados" pelo outro. Para que esse encontro possa se realizar, é de importância vital aplanar e abrir os caminhos do encontro, reduzir os obstáculos que nós mesmos e os outros levantamos entre nós. Aliás, Deus acaso não fez o mesmo para se encontrar conosco? Ele se despojou de tudo o que poderia nos parecer esmagador, opressivo, possessivo, insuportável. Ele se fez humano, mendigando nosso amor. Para nos cativar, esqueceu sua onipotência! Então, neste tempo de graça, que tal nos desarmarmos?

François Arnold et al.

Senhor Deus, neste tempo propício para a conversão, peço-te que abra o meu coração para fazer dele uma manjedoura digna do advento de Jesus. Amém.

Hoje: *Dia Internacional do Migrante.*
Santos do dia: *Nossa Senhora da Expectação do Ó / Basiliano / Flamano / Rufo.*

18 Dezembro

O migrante traz em si a marca de todos os sofrimentos reunidos. É atingido no corpo pelas privações; no coração pelas humilhações e saudades; na cultura pela perda dos valores da família e dos costumes regionais. É atingido também na expressão religiosa, pelo modo diferente de rezar, de relacionar-se com Deus e com o mundo dele.

Dom Paulo Evaristo Arns

Deus, dá-me coragem para procurar a justiça em favor dos necessitados, solidarizando-nos com suas dificuldades. Amém.

19 Dezembro

Santos do dia: *Teia / Dário / Paulino.*

Giuseppe Verdi teria dito sobre Carlos Gomes: "Este moço começa por onde termino". Não foi verdade, mas não deixou de ser um grande ato de humildade. É esta humildade que faz o mundo crescer. Até porque, deixar-se ultrapassar é uma coisa, ser ultrapassado, outra. Deixemo-nos ultrapassar na hora certa. Podemos não vencer a corrida, mas chegaremos sãos e salvos à meta, como bons corredores. Afinal, nunca fomos nem jamais seremos perfeitos. E faz bem à alma admitir que há pessoas melhores do que nós. Ou não faz?

Pe. Zezinho, SCJ

Pai, faz com que eu persevere no serviço aos irmãos, agindo com solicitude e com coração humilde, sem desanimar e sem fazer cobranças. Amém.

Santos do dia: *Tolomeu / Íngenes / Domingos de Silos.*

20 Dezembro

Ainda é tempo...

...de se dar as mãos e juntos fazermos acontecer a vida, de cultivar ternura e seriedade em relação ao presente e ao futuro, de não termos medo nem vergonha de "reinventarmos" o amor e a capacidade de amar; de comprometermos nossa vida com algo que valha a pena e traga frutos de vida, de vivermos cada momento de nossa vida como se fosse o melhor e o último momento da vida.

Ainda é tempo de dizer creio, quero. Busco... Amém.

Canísio Mayer

Senhor, que neste Tempo do Advento encontremos espaço em nossa vida para acolher Maria e José e deixar Jesus nascer em nosso coração. Amém.

21 Dezembro

Santos do dia: *Pedro Canísio / Glicério / Temístocles.*

Não desprezemos os pobres, os pequenos, os operários; não só são nossos irmãos em Deus, mas são eles quem, com mais perfeição, imitam a Jesus na vida exterior. Representam perfeitamente, para nós, Jesus Operário de Nazaré... São os primogênitos entre os eleitos, os que primeiramente foram chamados para junto do berço do Salvador. Eles foram a mais constante companhia de Jesus, desde que nasceu até à morte; ao seu número pertenciam Maria, José, os apóstolos e esses bem-aventurados pastores.

Bv. Charles de Foucauld

Pai, neste mundo consumista é difícil cultivar a temperança. Ajuda-me a ser comedido no comer, no falar, no agir, em tudo, em todo lugar. Amém.

22 Dezembro

Santos do dia: *Francisca Xavier Cabrini / Floro / Ciremão.*

Nossa descoberta de Deus é, de certo modo, a descoberta de nós mesmos. Não podemos ir para o céu a fim de encontrá-lo porque não temos meio algum de saber onde se acha o céu nem o que é. Deus desce do céu para se encontrar conosco; contempla-nos das profundezas de sua infinita atualidade, que está em toda parte, e esse olhar de Deus sobre nós nos dá um novo ser e um novo espírito com que o descobrimos também. Só podemos conhecê-lo na medida em que Ele nos conhece e nossa contemplação dele é participação que Ele tem de si próprio.

Thomas Merton

Pai, como é bom sentir o calor do sol resplandecente no céu. Que o verão desperte em nós a alegria de sentir o calor do sol do teu amor. Amém.

23 Dezembro

Hoje: *Dia do Vizinho.*
Santos do dia: *João Câncio / Euniciano / Mardônio.*

Deus conosco

Que celebramos, pois, no Natal? Que nos convida, nestes dias, para fazer isso e viver? O livro de Isaías anunciava o nascimento de uma criança que levaria o nome de "Deus conosco". E o evangelho de Mateus recolhe este anúncio e o aplica a Jesus. E este é, talvez, o melhor resumo do que celebramos: que Jesus, aquele Menino nascido de Maria, em Belém, é o Deus conosco.

Josep Lligadas

Senhor, ajuda-me a viver em harmonia com meus vizinhos, em solidariedade nos momentos de tristeza e em solicitude em suas necessidades. Amém.

24 Dezembro

Hoje: *Dia do Órfão. Vigília do Natal.*
Santos do dia: *Tarsila / Delfim / Irmina.*

"Anuncio-vos uma grande alegria". Tais são as palavras do anjo aos pastores de Belém. Repito hoje, almas fiéis: trago-vos uma notícia que vos causará uma grande alegria. Para uns pobres exilados, condenados à morte, haverá notícia mais feliz do que a da aparição do seu Salvador, vindo não só para os libertar da morte, mas para lhes conceder o regresso à pátria? É precisamente isto o que eu vos anuncio: "Nasceu-vos um Salvador".

Santo Afonso Maria de Ligório

Jesus amado, tudo o que queremos é te acolher em nosso coração e em nossa vida; conceda-nos a graça de estarmos prontos na tua chegada. Amém.

25 Dezembro

Hoje: *Natal do Senhor. Dia Santo de Guarda. Feriado nacional.*

Santos do dia: *Mártires de Nicomédia / Jacó de Tódi / Anastácia.*

Natal do Senhor

Alegremo-nos, nasceu hoje o Salvador! E onde nasce a vida, não há lugar para a tristeza; esta vida que destrói o temor da morte e nos dá a alegria das promessas eternas. E esta felicidade não exclui ninguém, a razão da nossa alegria é comum a todos; por isso mesmo, o Nosso Senhor, vencedor do pecado e da morte, não tendo achado nenhum homem livre de culpa, libertou-nos a todos. Alegre-se o justo, pois lhe é estendida a palma; alegre-se o pecador, pois lhe é estendido o perdão; retome o pagão a coragem, pois é a vida que o chama.

São Leão Magno

Menino Jesus, peço-te que abençoes minha família e minha vida, reacendendo em nossos corações a alegria do Natal. Amém.

Santos do dia: *Estêvão / Arquelau / Vivência Lopes.*

26 Dezembro

Aparência humilde pode esconder grandes tesouros. Na cidade de Belém, um casal de aparência humilde, com a mulher prestes a dar à luz, não encontrou abrigo. Havia um grande censo, o que fez com que a cidade recebesse muitos visitantes. Para quem conseguia hospedar alguém, era garantia de lucro. Assim, este casal pobre teve que buscar fora da cidade sua guarida. Os moradores de Belém perderam a oportunidade de passar para a história, pois o menino que nasceu era o Filho de Deus. Os detalhes de seu nascimento são eternos. Assim, vá além da aparência, busque a essência, e descobrirá grandes tesouros ocultos nos corações das pessoas.

José Irineu Nenevê

Santo Estêvão, diácono e mártir da fé cristã, ajuda-me a ser coerente na vivência da fé, sem medo de professá-la diante de todos. Amém.

27 Dezembro

Santos do dia: *João, apóstolo e evangelista / Fabíola / Teófanes.*

A vida é o dever que nós trouxemos para fazer em casa. Quando se vê, já são seis horas! Quando se vê, já é sexta-feira... Quando se vê, já terminou o ano... Quando se vê, perdemos o amor da nossa vida. Quando se vê, já se passaram 50 anos! Agora é tarde demais para ser reprovado. Se me fosse dado, um dia, outra oportunidade, eu nem olhava o relógio. Seguiria sempre em frente e iria jogando pelo caminho a casca dourada e inútil das horas. Desta forma, eu digo: – Não deixe de fazer algo que gosta devido à falta de tempo, pois a única falta que terá será desse tempo que infelizmente não voltará mais.

Mario Quintana

Senhor Deus, Tu és o doador da vida e por isso te agradecemos. Concede-nos, Senhor, que sejamos dignos da tua Palavra. Amém.

28 Dezembro

Hoje: *Dia do Salva-vidas.*

Santos do dia: *Ss. Inocentes / Antônio de Lérins / Teófila / Donião.*

Uma pessoa só está plenamente viva quando experimenta, ao menos até certo ponto, que está se dedicando espontaneamente e de todo coração ao verdadeiro objetivo de sua existência pessoal. Em outras palavras, a pessoa está viva não só quando existe, não só quando existe e age, não só quando existe e age como pessoa (isto é, livremente), mas sobretudo quando está consciente da realidade e inviolabilidade de sua liberdade; e consciente ao mesmo tempo de sua faculdade de consagrar esta liberdade inteiramente ao objetivo para o qual ela lhe foi concedida.

Thomas Merton

Senhor, guia-nos pelo caminho que leva a ti. Ensina-nos a obedecer-te, mesmo que não compreendamos totalmente os teus mistérios. Amém.

29 Dezembro

Santos do dia: *Tomás Becket / Segundo / Primiano.*

Esperança é uma dimensão interior do ser humano. Não tem nada a ver com predição. É totalmente diferente de otimismo. A esperança é, antes, a capacidade de comprometer-se com algo não porque tenha êxito garantido, mas porque vale a pena, porque tem sentido... Quanto mais desfavorável for a situação, tanto mais profunda deve ser a esperança.

Václav Havel

Senhor, sabemos que Tu és o abrigo que sempre nos acolhe. Em ti colocamos nossa confiança e esperança. Amém.

Santos do dia: *Anísia / Libério / Sabino.*

30 Dezembro

Se pudéssemos ver Jesus, Maria e José, quando moravam em Nazaré, durante a infância e adolescência de Jesus, nada notaríamos de especial. Era uma família simples, trabalhadora, que educava seu filho com amor e vivia fielmente sua fé. Nada de extraordinário. É assim que devemos enxergar a Sagrada Família, tornando-a modelo para nossa vida familiar nos dias atuais. Uma família que não se destaca, mas vive segundo a vontade de Deus, pronta para dizer "sim" mesmo diante de dificuldades; leal ao Senhor apesar de grandes sofrimentos; guiada pelo Espírito Santo, sempre confiante na misericórdia do Pai.

Maria Aparecida de Cicco

Sagrada Família de Nazaré, abençoa a minha família e ajuda-nos a viver unidos, em comunhão de amor e de fé, na graça de Deus Pai. Amém.

31 Dezembro

Hoje: *Dia da Esperança e dia das Devoluções.*

Santos do dia: *Silvestre I / Catarina Labouré / Melânia.*

As festas terminaram

As festas terminaram,
e a vida vai retomar sua rotina de sempre.
No entanto, depois de um verdadeiro encontro, nada é mais como antes.
Todo encontro nos torna diferentes.
E, encontro após encontro, se forma em nós o homem total,
a mulher total, abertos para o infinito, saindo de sua ganga bruta e acanhada,
e como a obra de arte revela-se o homem sob os golpes do cinzel do escultor.

Não é Deus esse escultor paciente?
Sim, sabemos disso, desde que Ele veio
ao encontro da humanidade neste primeiro Natal,
cada vez é Ele mesmo que encontramos no outro,
é Ele que nos encontra.

Que sorte! Mas que responsabilidade!

François Arnold et al.

Senhor Deus, agradecemos por nos ter acompanhado neste ano que termina. E pedimos a tua bênção para o novo ano que começa. Vem, Senhor Jesus! Amém.